हास्य-व्यंग्य के रंग

हास्य-व्यंग्य के रंग

डॉ. माणिक मृगेश

शब्दसृष्टि प्रकाशन

196, मण्डोली गाँव, नियर ओल्ड शिव मन्दिर,
नन्दनगरी, दिल्ली-110093

ISBN : 81-88566-52-7

शब्दसृष्टि प्रकाशन
196, मण्डोली गाँव, नियर ओल्ड शिव
मन्दिर, नन्दनगरी, दिल्ली-110093
द्वारा प्रकाशित
संस्करण : 2012

मूल्य : 215.00
शिव प्रिंटिंग प्रेस, दिल्ली-110093
द्वारा मुद्रित

शब्दसृष्टि प्रकाशन, वाणी प्रकाशन की सहयोगी संस्था

समर्पण

(पूर्णांगिनी श्रीमती सावित्री मृगेश को)

'इन्हें मेरी साड़ी पे छपा दो'

जब नवोदित कवि की,
सारी रचनाओं को,
बिना छापे ही, सभी पत्रिकाओं ने,
खेद सहित लौटाया।
तो कवि महोदय पे 'मातम' सा छाया।
इतना देख कवि पत्नी बोली,
ऐ जी निराश काहे होते हो,
अरे इन बैरिन पत्र-पत्रिकाओं में
आग लगा दो।
अरे अगर कोई नहीं छापता है तुम्हारी कवित
तो इन्हें मेरी साड़ी पे छपा दो।
इससे आप नहीं तो मैं आगे बढ़ जाऊँगी
आप बनो या न बनो मैं कवयित्री अवश्य बन जाऊँगी।

प्रसंगवश

सुप्रसिद्ध ग़ज़लकार डॉ. कुँअर बेचैन का एक शेर है—

दूर जाता हुआ आदमी,
छटपटाता हुआ आदमी
ईद का चाँद लगने लगा है
मुसकराता हुआ आदमी।

सच है कि आज के इस औद्योगिक एवं वैज्ञानिक युग में आदमी की हँसी पता नहीं न जाने कहाँ लुप्त हो गई है। उसके जीवन में से हास-मिठास जाता रहा है। चिन्ता, तनाव, कुण्ठा, निराशा, एकाकीपन, अनिद्रा, उच्च रक्तचाप तथा लुंजपुंजता उसके जीवन के अंग बन गए हैं। अर्थ पिशाच समाज ने उसके शब्दों के अर्थ ही बदल दिए हैं। वह सिर्फ अर्थ-अर्थ अर्थ में ही व्यर्थ घूम रहा है। एक संकुचित-सी जिंदगी जी रहा है तो ऐसे युग में यदि कोई आदमी अपनी बातों से, हरकतों से, नकल से, अकल से, अभिनय से या किसी अन्य उपकरण से यदि आदमी को या कुछ आदमियों को पल भर के लिए हँसा देता है तो निश्चित ही वह मनुष्य जाति के लिए बहुत बड़ा काम कर रहा है। यदि हम लोक जीवन की बात करें, आंचलिकता की बात करें, तो पाते हैं कि पहले हमारे जीवन में हँसी-ठट्ठों का ही बोलबाला था। नाटकों या नौटंकियों में बिना विदूषक यानी कि जोकर के मजा ही नहीं आता था। कुछ नकलची हुआ करते थे जोकि पुलिस की सी वर्दी पहन कर बारातों में जाया करते थे और दोनों पक्षों के लोगां के लिए ऊल-जलूल बातें करके हँसाया करते थे। इसके अलावा कुछ लोग कहानीकार हुआ करते थे जो रात को चौपाल पर बैठकर अपनी गप्पें सुनाया करते थे। इन लोगों को 'टल्ली' भी कहा जाता था। कुछ लोग आसपास के परिवेश के ऊपर ही मनगढ़न्त बातें कहा करते थे। ये हँसोड़ कहलाते थे। नौटंकी में जोकर आता है उसका पायजामा फटा होता है। पूरी पब्लिक उसे देखकर हँस पड़ती है। वह हँसी के बाद धीरे से कहता है, 'हँसते कोहे को भइए। फटा पायजामा है तो क्या रहने वाला तो दिल्ली का हूँ', एकदम हँसी का ठट्टा लग जाता है। जब से इस बैरी टीवी का प्रादुर्भाव हुआ है, हमारी लोक कलाएँ मरने लगी हैं। आज न रसिया

दगल दिखाई पड़ते हैं, न अलगोजा की धुन, न चैता कहीं होता है, तो न कहीं तमाशा। न कहीं भवाई होती है, तो न ही भंगड़ा। इसी कमी के अभाव में लोग हास्य कवि सम्मेलनों की ओर मुड़ने लगे हैं। कवि सम्मेलन पहले भी हुआ करते थे लेकिन वे गम्भीर कविता को लेकर होते थे। लेकिन ग्रामीण जनता हरिवंश राय बच्चन को नहीं समझ सकती है। उसे लोकमाटी से जुड़ा कवि काका हाथरसी, रमई काका ही चाहिए। इधर टीवी पर भी कवि सम्मेलनों का दौर चला है और टीवी के कवि सम्मेलन भी काफी लोकप्रिय हुए हैं। खासकर हास्य कविता ने श्रोताओं की संख्या को बढ़ा दिया है।

कुछ जो अपने को धाँसू साहित्यकार मानते हैं, वे इन हास्य कवियों को उल्टा-सीधा कहते हैं कि इन हास्य कवियों ने हिन्दी कविता का बंटाधार कर दिया है। कहीं हद तक यह बात ठीक है, लेकिन नितान्त ठीक नहीं है। कविता का जो प्रयोजन है—

काव्यं यशसेऽर्थकृते व्यवहार विदे शिवेतर रक्षतये
सद्यःपरनिर्वृतये कांतासम्मितयोपदेशयुजे।।

ये साहित्य के कवि पूरा करते हैं। कवि कविर्मनीषी, परिभूः स्वयंभू होता है। उसे समाज का द्रष्टा होना चाहिए। माना कि कुछ काव्यशास्त्री मानते हैं कि उसे समाज से क्या लेना, लेकिन उसे लेना-देना ही नहीं है तो वह समाज में क्यों रहता है। यदि वह समाज में रहेगा, तो उसे समाज की भी सोचनी होगी। इसलिए कविता समाज-सापेक्ष ही होनी चाहिए। अब आप ही बताइए कि मुक्तिबोध व अज्ञेय दोनों की कविताएँ उत्कृष्ट हैं, लेकिन कितने लोग उनकी कविता का भाव समझते हैं। क्या फायदा है इस कविता का 'जिसका अर्थ न समझे कवि भी वह कविता है हाई जिसका अर्थ समझ ले जनता वह तुकबन्दी है भाई' स्वान्तः सुखाय लिखने वाले रामचरित मानसकार समाज निरपेक्ष नहीं हो पाए और सच मायने में उनकी कविता उनके इस विचार को झुठलाती है। यही कारण है कि आज के परिवेश में हास्य कवियों का बोलबाला है। वे सीधे अभिधा के माध्यम से जनता से जुड़ जाते हैं और कहाँ रखा है आज आम आदमी के पास इतना समय कि वह लम्बी-लम्बी कविता सुने। यही कारण है कि आज प्रबन्ध काव्य लिखने की परम्परा ही खत्म होती जा रही है। ज्यों-ज्यों मनुष्य के पास समय की कमी होती गई है, त्यों-त्यों कविता भी छोटी होती गई है। पहले प्रबन्ध काव्य उसके बाद खण्ड काव्य उसके बाद लम्बी कविता उसके बाद कविता मझोली कविता छोटी कविता यानी क्षणिका और अब लेटेस्ट 'हाइकू'। प्रश्न यह भी विचारणीय है कि लोग हास्य-व्यंग्य के कवियों को चुटकले बाज मानते हैं। क्या हर्ज है यदि चुटकला (चोटी की कला या चुट अर्थात चोट करने की कला) मौलिक है और हम तो जोर देकर इस बात को कहेंगे कि यदि कविता में कहीं मौलिकता है, तो वह हास्य और व्यंग्य कविता में ही है। अन्यथा सभी कविताएँ मात्र शब्द संकलन हैं।

जहाँ तक मेरा पश्न है, मैं अपने को कवि कतई नहीं मानता हूँ लेकिन इतना जरूर मानता हूँ कि अपने अन्दर कोई तत्त्व तो जरूर है जो मौलिक बात कहने के लिए प्रेरित

करता है। यूँ तो सभी कलाकार, साहित्यकार इस बात को मानते हैं कि यह वृत्ति उसमें जन्मजात थी लेकिन इसे लोग मानते नहीं हैं। मानते इसलिए नहीं हैं कि उनमें वो बात कहाँ। मुझमें इस खुराफात यानी हास्य-व्यंग्य के कुलक्षण शुरू से ही उपजने लगे थे। बाल सभाओं में गाँव के समारोहों में अपने गढ़े हुए मौलिक चुटकले कविता के रूप में प्रस्तुत किया करता था। सर्वप्रथम मैंने श्री वार्ष्णेय कॉलिज अलीगढ़ के छात्र कवि सम्मेलन में भाग लिया और वहाँ जम गया। मुझे प्रोत्साहन मिला और सबसे ज्यादा प्रोत्साहन मुझे पद्मश्री काका हाथरसी की कविताओं से मिला है। मैंने उनकी ढेर सारी कविताएँ पढ़ीं और अपनी कविताओं के साथ-साथ मित्रमण्डली में प्रस्तुत किया है। लिहाजा मैं काका हाथरसी को अप्रत्यक्ष रूप से अपना गुरु मानता हूँ। हालाँकि मैंने इस गुरु-शिष्य परम्परा का सार्वजनिक तौर पर तमाशा नहीं किया है लेकिन मैं उनके प्रति श्रद्धानत हूँ। प्रस्तुत संकलन में मेरी जो अकविताएँ हैं, वे ज्यादातर कहीं-न-कहीं प्रकाशित हैं, प्रसारित हैं।

मैं इन शब्दों के साथ कि—

कल एक व्यक्ति दूसरे के पीछे,
काफी तेजी से भाग रहा था
बुरी तरह से हाँफ रहा था,
इतना देख पुलिस का सिपाही बोला!
क्यों बे
इसके पीछे क्यों भाग रहा है।
क्या माजरा है
इतना सुन व्यक्ति बोला
मामला क्या दरोगा जी,
अरे अपना तो पूरा खण्डकाव्य सुना आया है
और मैंने अपनी दो क्षणिकाएँ
सुनाने की अर्ज की तो बस भाग आया है।
अतः इसके पीछे भाग रहा हूँ
और कह रहा हूँ
भैया!
कविता लिखना बहुत आसान है
कविता पढ़ना उससे भी आसान है
लेकिन कविता सुनना,
नहीं बच्चों का खेल
मैंने तुझे झेला तू भी मुझे झेल।

आपने मेरे जैसे बहुत कवियों को उनकी कविताओं को झेला और आपने यह सिद्ध भी

किया है कि आप निश्चित ही बहुत बड़े झेलू पाठक/श्रोता हैं तो इस बन्दे को भी झेलिए। इसी में आपकी महानतता है। यह कहते हुए मैं इस संकलन को आप सभी के सम्मुख प्रस्तुत कर रहा हूँ।

—डॉ. माणिक मृगेश

मृगेशायन

22 बी, मनोरथ सोसाइटी,

न्यू समा रोड, वडोदरा-8

हास्य और व्यंग्य

हास्य और व्यंग्य का सीधा-सादा भावार्थ तो यह है कि हास्य का अर्थ हास योग्य बात पर हँसना, जबकि व्यंग्य का अर्थ है—सोचने को मजबूर होना। काव्यशास्त्रियों ने काव्य की आत्मा के छह सम्प्रदाय बताए हैं—रस, अलंकार, रीति, वक्रोक्ति, ध्वनि एवं औचित्य। हास्य रस सम्प्रदाय के अन्तर्गत है। रस को काव्य की आत्मा मानने वाले रसवादी आचार्य कहते हैं 'रसात्मक वाक्य काव्यं' चाहे रस कोई भी हो, रस हमारे यहाँ नौ माने गए हैं—शृंगार, हास्य, रौद्र, करुण, बीभत्स, भयानक, वीर, अद्‌भुत व शान्त। वात्सल्य को बाद में रस की संज्ञा मिली जिसका श्रेय प्रधानतः सूरदास जी के काव्य को जाता है। हास्य का स्थायी भाव हास होता है। यह हास अधिकांशतः प्रकृति प्रतिकूलता की वजह से उत्पन्न होता है। यानी कि प्रकृति के अनुसार हौना चाहिए। जब वह नहीं हो पाता है, तो हास की उत्पत्ति हो जाती है। हास के भी कई प्रकार होते हैं—स्मित, हँसित, अट्टहास आदि। कई हास्य तो केवल मुस्कान तक ही सीमित रह जाते हैं। कई बरबस अट्टहास पैदा करते हैं। कई बार हास्य केवल हास्य बन कर रह जाता है। कई बार बहुत अच्छी बात भी कहता है। श्री प्रदीप चौबे की एक क्षणिका है कि 'हमसे संवाददाताओं ने प्रश्न किया कि संजय गांधी और राजीव गांधी में क्या मूलभूत अन्तर है?' हमने उत्तर दिया कि एक 'जबर्दस्त नेता' था दूसरा 'जबर्दस्ती नेता' है। तो इस हास्य को हम गम्भीर हास्य भी कह सकते हैं। एक हास्य का नमूना और देखिए। हास्य कवि श्री सुरेन्द्र शर्मा कहते हैं, एजी—

> ढोर गँवार सूद्र अरु नारी
> ये सब ताड़न के अधिकारी

(कुछ लोग ढोर गँवार सूद्र पशु नारी कहते हैं जो कि गलत है, क्योंकि ढोर का अर्थ ही पशु होता है।) का मतलब बताइए, पत्नी बोली। मतलब बिलकुल साफ है। इसमें एक जगह मैं हूँ तीन जगह आप हैं। ये कोरा हास्य है।

अब व्यंग्य की बात करते हैं। हास्य जहाँ खत्म होता है, व्यंग्य शुरू होता है। कुछ हास्यकार कहते हैं कि हास्य-व्यंग्य एक ही गाड़ी के दो पहिए होते हैं। हास्य-व्यंग्य का साथ चोली-दामन जैसा है और ये कुनैन की गोली की तरह हैं, जिसके ऊपर एक पर्त मीठी चढ़ी

होती है। इसके बाद वह कड़ुवी लगती है। कड़ुवी जरूर होती है, लेकिन गुणकारी होती है।

हास्य-व्यंग्य का गहरा रिश्ता है। उदाहरण प्रस्तुत है—

कि हमारा मुसकराता हुआ चेहरा
देखकर पत्नी बोली
कहो डार्लिंग!
क्या लाटरी खुल गई है या कोई पारितोषिक पाया है
हमने कहा नहीं स्टारलिंग,
अपन ने जो नई कविता लिखी थी न
उसके लिए बन्दा मात्र,
एक चाय और समौसे में एक श्रोता पटा लाया है
इतना सुन पत्नी बोली
ढाबे पे खिला या होटल में
यदि साड़ी लाएगा, तो बनाऊँगी
अन्यथा छोड़ के चली जाऊँगी
मरते क्या न करते
हामी क्यों न भरते
हामी भर दी
और आनन फानन में
नई कविता प्रस्तुत कर दी।
क्योंकि यदि चाय समौसे के बाद वो कविता
सुनने से मना कर देते,
तो हम उनका क्या कर लेते।
अब आप ही बताइए मिस्टर थेगड़ी
कि यह कविता हमें कितनी महँगी पड़ी
लेकिन कोई बात नहीं
यह खर्चाई तो हमारे लिए मात्र झाड़ थी
क्योंकि कविता बाहर निकालने की पीड़ा तो पहाड़ थी

अब यह कविता महँगी पड़ी तक कोई थीम प्रस्तुत नहीं करती लेकिन अन्तिम जो दो पंक्तियाँ हैं और उनमें भी जो शब्द है 'पहाड़ थी' बहुत बड़ा व्यंग्य प्रस्तुत करता है। संप्रेषणीयता का, संवाद का। जिसके कारण आज के कवि को श्रोताओं/पाठकों की जबर्दस्त तलाश है।

अब व्यंग्य की बात करते हैं, व्यंग्य ध्वनि है, व्यंग्य व्यंजना है, व्यंग्य ध्वनित होता है, व्यंजित होता है। ज्यों-ज्यों हम प्याज की पर्तें उतारते जाते हैं, त्यों-त्यों उसमें और ज्यादा चमक आती जाती है। ठीक इसी प्रकार व्यंग्य है। व्यंग्य ऊपर से दिखाई नहीं देता, अन्तर्मन की चीज है, अनुभव किया जाता है। हमारे यहाँ व्यंग्य लिखने की एक सुदीर्घ परम्परा रही है। कविता के क्षेत्र में हमें सबसे पहले दुनिया के सर्वश्रेष्ठ व्यंग्यकार कबीर मिलते हैं जहाँ कि वे समाज में व्याप्त कुरीतियों, अनीतियों का बिना भेदभाव के पर्दाफाश करते हैं।

जो तू ब्राह्मण, ब्राह्मणी जाया
तो आन वाट से क्यूँ नहिं आया

कितना जबर्दस्त व्यंग्य है इन पंक्तियों में, कितनी वैज्ञानिकता इन पंक्तियों में है। जो काम आज तक कोई नहीं कर पाया, वह कबीर ने किया। 'हम ना मरैं मरहिं संसारा' कितनी सटीकता है कविता में। कबीर के बाद हमें सीधे ही निराला जी के दर्शन होते हैं। निराला जी ने अपने व्यंग्य की विषयवस्तु मजदूर, किसानों को बनाया। 'वह तोड़ती पत्थर' आदि उनकी सशक्त रचनाएँ हैं। इसके बाद तो हास्य-व्यंग्य खूब लिखा जाने लगा।

जहाँ एक ओर गद्य के क्षेत्र में हरिशंकर परसाई, शरद जोशी, के.पी. सक्सेना, गोपाल चतुर्वेदी आदि व्यंग्यकार हिन्दी साहित्य के भण्डार को समृद्ध कर रहे हैं, वहीं कविता के क्षेत्र में दुष्यन्तकुमार, मुक्तिबोध और अब नई पीढ़ी में माणिक वर्मा, सुरेश उपाध्याय, मधुप पाण्डेय, गुरु सक्सेना, प्रदीप चौबे व सुरेन्द्र सुकुमार जैसे कवि हिन्दी व्यंग्य कविता को एक दिशा दे रहे हैं। देखिए हुक्का बिजनौरी का पुलिस व्यवस्था पर एक व्यंग्य है—

हमारे मित्र ने हमसे कहा
कि हमारे मामा थानेदार हैं
बड़े ईमानदार हैं
हमने कहा,
पुलिस और ईमान
सरदारों की बस्ती में नाई की दुकान

देखने में यह व्यंग्य बहुत मामूली-सा दिखाई दे रहा है लेकिन कितनी बढ़िया सोच है। पुलिस पर ही व्यंग्य करते हुए प्रदीप चौबे जी कहते हैं—

नगर से दूर, मंत्री जी के भाषण की
सभा में सुरक्षा व्यवस्था
के लिए तैनात डीआईजी से हमने कहा कि
आप यहाँ हैं
और यदि शहर में चोरी हो जाए या हो जाए कोई वाकया

तो इसके लिए कौन जिम्मेदार होगा
डीआईजी बोले
अब चोरी हो ही नहीं सकती
क्योंकि सारी पुलिस तो यहाँ है

इन पंक्तियों के लेखक का एक व्यंग्य द्रष्टव्य है कि—

गद्दी वाले ही नहीं,
रद्दी वाले भी
हिन्दी को महत्ता कम देते हैं,
इसलिए हिन्दी अखबार की रद्दी को
अँग्रेजी अखबार की तुलना में
काफी कम दर पर लेते हैं।
× × ×

तथा

दिन भर मेहनत करने के बाद
जब शाम को एक श्रमिक ने
अपनी श्रमिकी के सम्मुख,
फिल्म अर्धसत्य देखने का प्रस्ताव किया
तो श्रमिकी बोली, ओ पिया!
जब अब तक नहीं डिगाया है
तो अब ईमान काहे डिगाते हो
अरे भरी जवानी में
जब पूर्ण सत्य दिखाया है
तो बुढ़ापे में अर्धसत्य क्यों दिखाते हो।

इस व्यंग्य के माध्यम से एक बिल्डिंग श्रमिक और श्रमिकी की कथा-व्यथा को रूपायित किया गया है। पूरी जिन्दगी दोनों की गारे का तसला ढोते-ढोते निकल गई है। बच्चा पास में रोड़ी पर ही खेलता रहा। आज भी श्रमिकी के पास केवल एक बैंगनी रंग की धोती है उसी को पहनती, रात को उसी को धोती है। कितनी जबर्दस्त पीड़ा है।

निष्कर्षतः हास्य और व्यंग्य एक-दूसरे के न केवल पूरक हैं, बल्कि अंगा-अंगी भी हैं। दोनों को अलग करना मुश्किल है।

भूमिका

डॉ. माणिक मृगेश आज के युवा व्यंग्यकारों की नयी पीढ़ी के न केवल एक लब्ध प्रतिष्ठित व्यंग्य कवि हैं, वरन् हिन्दी हास्य-व्यंग्य मंच के एक सफल एवं लोकप्रिय संयोजक के रूप में भी इन्होंने अंगद के उच्चासन की तरह स्वयं अपना कीर्तिमान स्थापित किया है। इनकी हास्य-व्यंग्यमयी कविताएँ सर्वाधिक रूप से मंच से ही प्रस्तुत होती रही हैं। मंचीय कला निपुण एवं हास्य-व्यंग्य के अखाड़े के कुशल कुश्तीबाज डॉ. माणिक मृगेश का व्यंग्य आज बाह्य जगत् के संघर्षों एवं विसंगत चक्रव्यूहों से जूझने की अदम्य कांक्षा और ऊर्जा से ओतप्रोत है। उनके नाभिकुण्ड से निःसृत हास्य-व्यंग्य का यह अमृत झरना मानवता के मार्ग को अवरुद्ध करने वाले पाषाण खण्डों को तोड़ते हुए मानव-मूल्यों को सिंचित करता हुआ परिलक्षित होता है। विवेक एवं वैदग्ध्यमयी ओजस्विता के कारण ही इनका व्यंग्य कल के फूहड़ और हास्य के स्थूल तथा सतहीपन की सीमा से परे है। डॉ. माणिक मृगेश ने अपनी रचनाओं में समसामयिक और शाश्वतता के ताने-बाने से हास्य-व्यंग्यमयी रचनाओं का इन्द्रधनुषी रंग कविता पर बुना है जो अपने शीतल स्पर्श से प्रत्येक श्रोता के मन को गुदगुदा देता है। इनके व्यंग्य काव्य में इसके अतिरिक्त काँटों की सी चुभन की भी प्रतीति होती है। तात्पर्य यह है कि इनका व्यंग्य काव्य तमोभेदिनी सूर्य किरण के समान उपकारक एवं संस्तुत्य है।

इनकी व्यंग्य कविताएँ साधारण से साधारण विषयों को भी असाधारण व्यक्तित्व प्रदान कर देने वाली क्षमता से पूर्ण हैं। आपने व्यंग्योत्पादन की विविध दिशाओं का अन्वेषण प्रयोग के अनेक स्तरों पर करने से हुए अपने व्यंग्य को प्रहारकारी नूतन भंगिमाओं से अलंकृत किया है। सर्वतोभावेन आपका व्यंग्य काव्य सुरुचिपूर्ण एवं प्रभावोत्पादक कला-नैपुण्य के कौशलों पर आधृत है। यह संकलन निश्चित ही हास्य-व्यंग्य के क्षेत्र में एक स्थान बनाएगा, मेरी ऐसी मान्यता है।

–डॉ. भगवान दास कहार, डी.लिट्

रीडर, हिन्दी विभाग,
म.स.वि.वि. वडोदरा

अनुक्रम

टेढ़ा बच्चा

घर वाली की गर्भ-जाँच के बाद,
डॉक्टर ने हमें बुलाया,
और कान में यूँ बताया
कि भाई गर्भाशय में टेढ़ा बच्चा है।
हमने कहा, "जी, तो बहुत अच्छा है।"
डॉक्टर बोला—
तू बाप है या कसाई?
अरे टेढ़े बच्चे की भी कर रहा है बड़ाई।
हमने दी सफाई
कि हाँ डॉक्टर साहब,
आज के इस टेढ़े समाज में,
टेढ़ा ही बच्चा खपेगा,
अरे चार को पीटेगा चार से पिटेगा
और सीधा तो बिचारा पिटेगा ही पिटेगा।

फूलन और संसद

फूलन से पत्रकारों ने किया प्रश्न,
संयोग से वियोग से
या फिर
राजकारण के योग से
आपका हो गया है
संसद के लिए चयन
तो
संसद में बैठते हुए
आपको कैसा लग रहा है।
फूलन बोली–
अपने परिवार के साथ
बैठने में अच्छा ही लग रहा है।

गणेशजी का दुग्ध पान

दफ्तर से लौटने के बाद
जब हमने अपनी
दुधमुँही बच्ची को रोते देखा
तो फौरन पत्नी को टोका
अरी भाग्यवती
बच्ची को काहे रुला रही हो
दूध क्यों नहीं पिला रही हो
इतना सुन पत्नी बोली
प्रियवर मृगेश!
दूध कहाँ से पिलाऊँ?
दूध तो पी गए सारा श्रीगणेश
हमने कहा—एँ
गणेशजी आपने ये क्या किया
आप तो कल्याणकर्ता हो—विघ्नहर्ता हो
आपने एक अबोध बालिका के हिस्से का दूध पी लिया
आपको पता है—ये बेचारी
अब रो-रोकर रात कैसे गुजारेगी
क्योंकि एक चम्मच दूध के दाम दस रुपए हैं
पूरी थैली का तो सौ का पत्ता है
जिसे अपन नहीं खरीद सकता है
यदि पीना था तो पीते—
तबीयत से पीते, खूब पीते

देश के इन—
नेताओं, चेताओं और प्रणेताओं का
लहू पीते
जो देश की भोली भाली जनता को
भाषा, धर्म, जाति और प्रान्त के नाम पर लड़ा रहे हैं
और देश को विघटन की ओर बढ़ा रहे हैं।

भूख

युग परिवर्तन के साथ-साथ
उसके खा़न पान में भी
परिवर्तन आता गया है
शुरू-शुरू में उसने तोपें खायीं
अच्छी तरह से पचायीं
फिर शेअर्स चबाने लगा
फिर हवाले का लिया जुलाब
आ गया ताव
सीमेण्ट-गारे से बने आवास
खाने लगा
जब इससे उसका
हाजमा गड़बड़ाने लगा
तो यह प्राणी हलके आहार चारे पै आ गया
चारा चबाने लगा—
चारे को पचाने के लिए यूरिया खाने लगा
जब उससे भी
भूख शान्त, नहीं हुई
तो और नीचे उतरा
कुण्टल पै कुण्टल खा गया अलकतरा
हे प्रभो लम्बोदर
इसके उदर को

और इतना बढ़ाओ
कि यह
मल-मूत्र, कूड़ा-करकट भी खा जाए
देश के पर्यावरण को स्वच्छ बनाए।

फिदा हुसैन प्रभाव

पता नहीं इसको अचानक हुआ है क्या,
पारे से चरित्र को शक से टटोले है।
बाला, मधुबालाओं की बात तो अलग प्यारे,
प्रौढ़ाओं से बात पै भी कान दोऊ खोले है
पहले तू तू कर बोलती थी बात बात,
बातन में अब देखो मिश्री सी घोले है
जब से फिदा हुसैन फिदा हुए माधुरी पै,
तब से ये प्राण-प्यारी संग संग डोले है।

मेकअप

एक दिन,
एक आधुनिक कमसिन।
लिखी-पढ़ी।
वेटिंग मशीन पर तुलने हुई खड़ी।
सिक्का डाला,
उसने उसका वज़न टिकट निकाला
डालते ही टिकट निकल के आई।
उसको पढ़ अपने नौकर पे अर्राई
क्यों बे राम दुहाई?
मैं, रात-रात में इतनी लट गई।
कलवाले वेट से पाँच किलो घट गई
शायद मशीन खराब है।
राम दुहाई बोला मेडम,
इसमें मशीन का क्या दोष है?
यह तो आपका ख्वाहमखाह का दोष है।
मशीन ने तो आपका वेट बिलकुल सही दिया है।
पर वेट कम होने का असली राज है मेडम,
आज आपने मेकअप नहीं किया है।

जी हाँ हुजूर मैं हिन्दी अधिकारी हूँ

जी हाँ हुजूर मैं हिन्दी अधिकारी हूँ
हाँ जी हुजूर मैं हिन्दी अधिकारी हूँ
बिना अधिकार का अधिकारी हूँ
लेकिन पूर्णतः सरकारी हूँ
मैं हर केन्द्रीय दफ्तर में जाने वाला जीव हूँ
दिखने में चुस्त दुरुस्त मगर अन्दर से निर्जीव हूँ
भले ही मेरे पास स्टाफ के नाम पर
केवल एक टाइपिस्ट क्लर्क ही हो
मगर पूरे एक अनुभाग का कर्ता धर्ता हूँ
हिन्दी के नाम पर लोगों के खूब ताने सुनता हूँ
एम ए पीएच डी मेरी योग्यता है
अँग्रेजी ज्ञान, अनुवाद-अनुभव अनिवार्यता है
हिन्दी दिवस मेरा श्राद्ध पर्व है
डायरी से लेकर डिस्पैच तक का कार्य मेरा कर्म है
हिन्दी की रट लगाए रहना, हाथ जोड़े फिरना मेरा धर्म है
इसीलिए कुछ लोग मुझे
हाथ जोड़ो अधिकारी कहते हैं
कुछ के तो कहने ही क्या
भार अधिकारी अभिसंक्षिप्त करते हैं
धारा तीन तीन मेरी रीढ़ की हड्डी है
यदि इसका पालन नहीं हुआ—तो

समझ लो मेरी अस्मिता फिसदी है,
हिन्दी में पत्राचार मेरी शान है
द्विभाषिकता अरमान है
हिन्दी पत्राचार मेरी शान है
कुछ लोग मुझे पण्डित जी कहते हैं
लेकिन मैं जाति से अनुसूचित हूँ
क्योंकि हिन्दी जन्मजात अनुसूचित है
अनुसूचितों की तरह शोषित है पीड़ित है
मैं जब से आया हूँ
लोग धीरे-धीरे हिन्दी भूलने लगे हैं
अँग्रेजी के हिंडोल में झूलने लगे हैं
मेरी चपरासी से लेकर चेयरमेन तक की संगति है
लेकिन इसी पर बने रहना मेरी नियति है
क्योंकि शेष सभी ऑफिसर हैं
केवल मैं ही एक अधिकारी हूँ
जी हाँ हुजूर मैं हिन्दी अधिकारी हूँ
हाँ जी हुजूर मैं हिन्दी अधिकारी हूँ

आरती बॉस की

ओउम जय बॉस हरे!
स्वामी जय बॉस हरे!
चमचाओं के संकट, क्षण में दूर करे!
ओउम जय बॉस···
तुम मेरी जीवन शक्ति हो
तुम मेरी रोटी!
तुम बिन कौन दिलावे मोकूँ,
रोजाना ओटी!
कन्वेंस के वाउचर थोक में पास करे!
ओउम जय बॉस···
मात-पिता कूँ गाली देना,
तुम कूँ नमन करूँ
तुम ही मेरे भाग्य-विधाता,
तुम्हरे चरन परूँ!
मात-पिता और गुरु आपने,
पीछे छोड़ धरे!
ओउम जय बॉस···
तुम्हारी हाँ में हाँ करता हूँ,
ना मैं कहूँ नाही!
पक्का मक्खनबाज तिहारो,
तुम मम गुणग्राही!
सी आर के कालम मेरे,
तुमने ठीक भरे!
ओउम जय बॉस हरे!

तू ही अर्थी तू ही श्मशान

फेरों के तुरन्त बाद
दूल्हे ने दुलहिन का घूँघट खोला,
और मधुर स्वर में यूँ बोला।
तू मेरी जान है,
तू मेरी शान है,
तू मेरी आन है,
और ज्यादा क्या कहूँ डार्लिंग,
तू ही मेरी भक्ति,
तू ही भगवान है
इतना सुन दुलहिन बोली—
रे खोंचू!
ये कौन कहेगा—
तू ही मेरी अर्थी
तू ही मेरी श्मशान है।

बुढ़ापे का अर्धसत्य

दिन भर मेहनत करने के बाद
जब शाम को एक श्रमिक ने
अपनी श्रमिकी के सम्मुख
फिल्म अर्धसत्य देखने का प्रस्ताव किया
तो श्रमिकी बोली, ओ पिया!
जब अब तक नहीं डिगाया है
तो अब काहे ईमान डिगाते हो,
अरे भरी जवानी में पूर्ण सत्य दिखाया है,
तो बुढ़ापे में अर्धसत्य क्यों दिखाते हो।

हिन्दी और रद्दी

गद्दी वाले ही नहीं,
रद्दी वाले भी
हिन्दी को महत्ता कम देते हैं
इसीलिए
हिन्दी अखबार की रद्दी को
अँगरेजी अखबार की तुलना में
काफी कम दर पर लेते हैं।

एड्स बनाम भ्रष्टाचार

जब से एड्स का रोग
प्रकाश में आया है
वेश्यावृत्ति का
काफी हद तक
हो गया सफाया है
हे प्रभो कृपा निधान
एक कृपा और कर दीजिए
भ्रष्टाचार से सम्बन्धित
ऐसा ही कोई नया रोग
और पैदा कर दीजिए।

न्यायमूर्ति की कुर्सी

इलाहाबाद में,
एक न्यायमूर्ति ने
आजादी की स्वर्णजयन्ती
इस तरह मनाई—कि
अपनी कुर्सी गंगाजल से धुलवाई
कारण—बताया—
कि विगत में इस पर
एक हरिजन न्यायमूर्ति बैठता था भाया
इस तथ्य से हमें
इस बात की लगने लगी है आशंका—
कि—अगली बारी
जब
माननीय
श्री के आर नारायण की
जगह
कोई दूसरा राष्ट्रपति चुनकर आए
तो कहीं
वह भी
राष्ट्रपति की कुर्सी को
गंगाजल से न धुलवाए?

कपड़ा और सरकार

कल हमने
एक कपड़े वाले लाला की
दुकान पर जाकर किया झगड़ा
कि लाला जी
आपने ही दिया था न
यह पेण्ट का कपड़ा
इसके सिकुड़ने, लटकने और
छिद्र न होने की
दी थी गारण्टी
देखिए
एक ही धुलाई में
क्या हो गया है हाल,
लाला जी बोले तत्काल
अरे बाबूजी
काहे करते हो
ख्वाहमखाह में लफड़ा
जब पाँच वर्ष के लिए
चुनी हुई सरकार
एक वर्ष नहीं चल पाती
तो ये तो है मामूली सा कपड़ा।

सर टी.एन. शेषन

अध्यापक ने कर के स्वर ऊँचा,
छात्र से प्रश्न पूछा—
बताओ बेटे!
क्या अकेला चना भाड़ फोड़ सकता है?
छात्र बोला—हाँ सर!
फोड़ सकता है तोड़ सकता है।
तो बताओ इसका उदाहरण।
छात्र बोला—
सर टी.एन. शेषन।
यह चना ऐसा निगोड़ा है
इसने भाड़ नहीं,
भड़भूजों को भी फोड़ा है।

नेता का खून

कल एक हस्पताल में
ज्यों ही एक डॉक्टर
एक घायल सैनिक को
खून चढ़ाने के लिए हुआ तैयार
सैनिक बोला—बरखुरदार
किसी नेता का खून मत चढ़ाना
अगर आपने भूल से चढ़ा दिया
तो सरहद पर जाकर
अपना रंग दिखाएगा
अगर
दुश्मन ने डाल दिया चारा
तो चरने लग जाएगा
अगर दिखा दिया सूटकेस
फेंक देगा बन्दूक
भाड़ में जाए देश
अगर दे दिया कुर्सी का प्रलोभन
भूल जाएगा जन गण मन
विभीषण बन जाएगा
दुश्मन से मिल जाएगा
अतः रे डॉक्टर
किसी सैनिक को

किसी नेता का खून मत चढ़ाना भूल कर
चढ़ाना—
मजदूर-किसान
जवान-नौजवान का खून चढ़ाना
जो खून खून है
जिसमें
राष्ट्र भक्ति का अद्‌भुत जुनून है

कविराज बनाम यमराज

कल रात,
एक व्यक्ति के घर,
दो चर्चित व्यक्ति पधारे एक साथ।
एक थे यमराज।
दूजे थे कविराज।
दोनों ने व्यक्ति से विकल्प पूछा,
कर के स्वर ऊँचा।
कि तू दोनों में से,
किस के साथ जाएगा?
और जाएगा तो क्यूँ जाएगा?
व्यक्ति ने अक्ल दौड़ाई,
काफी सोचने के बाद,
अपनी सम्मति बताई
कि मैं तो यमराज के साथ जाऊँगा,
इतना सुन कविराज भड़क कर बोले—
क्यों?
व्यक्ति बोला यों,
वहाँ तो सिर्फ मरूँगा ही मरूँगा।
पर मरने से पहले कम से कम,
ढेर सारी कविता सुनने की,
पीड़ा से तो बचूँगा।

कबीर के देश में

कि ज्यों ही हमने, टेलीफोन का रिसीवर उठाया,
उसमें से कबीर दास जी का स्वर आया,
क्या हो रहा है मेरे देश में,
साधू डोल रहे हैं डाकुओं के वेष में
वाणी की जगह बाण अपना रहे हैं,
नित नई धार्मिक सेनाएँ बना रहे हैं,
इस पर भी आतंकवादी सरेआम,
सेनानायकों तक को गोली से उड़ा रहे हैं।
ठी के ठीक है, धार्मिक सेनाएँ बनाओ,
कोई हर्ज नहीं, मगर उन्हें राष्ट्र हित में तो लगाओ।
अरे एक सेना से आतंकवाद को दबाओ,
एक से जातिवाद और भाई-भतीजावाद को भगाओ,
एक सेना को भ्रष्टाचार मिटाने में लगाओ,
एक से गोरखालैण्ड को दबाओ,
अरे कम से कम बावरी मस्जिद और राम जानकी मन्दिर के चक्कर
में आपस में ही यूँ लड़कर, अपनी शक्ति तो न गँवाओ,
मिस्टर मृगेश,
कहाँ जा रहा है मेरा देश?
हमने कहा कविवर कबीर,
मत पूछो मेरे देश की पीर।
देश का एक तिहाई जन एक वक्त खाना खा रहा है,

कुछ, फुटपाथ पर जिन्दगी गुजार रहा है,
और एक तबका, जिस कपड़े को पहन रहा है,
उसी से नहा रहा है,
देश प्रगति के प्रगति करता जा रहा है,
21वीं सदी की ओर जा रहा है,
इतने में फोन कट गया,
मैं, हैलो हैलो करता रह गया।

क्षणिकाएँ

आम

कैसा जमाना
उल्टा चल रहा है
आम
'आम आदमी' को नहीं मिल रहा है

हिंदी

गद्दी वाले ही नहीं
रद्दी वाले भी,
हिन्दी को
महत्ता कम देते हैं
इसीलिए
हिन्दी अखबार की रद्दी को
अँगरेजी अखबार की तुलना में
काफी कम दर पर लेते हैं

हवाला

हवाला प्रकरण
मिल जुल कर बाँट खाने
व टीम स्प्रिट का
एक आदर्श उदाहरण

आदमी की तलाश

नए वर्ष के नए दिन
हमने एक हरिजन से पूछा—भगवन
पिटते रहते हो,
पिसते रहते हो
फिर भी वहीं पड़े रहते हो,
अरे सात आठ सौ मील दूर जाकर
जाति बदलकर क्यों नहीं रह लेते हो
हरिजन बोला
आपकी बात ठीक है—सटीक है
जाति बदल लूँगा
लेकिन इसकी क्या गारण्टी है
कि फिर नहीं पिटूँगा
फिर अगड़े और पिछड़े के नाम पर पिटूँगा
हिन्दू के नाम पिटूँगा
हमने कहा श्रीमन
ऐसे में आपको कर लेना चाहिए धर्मपरिवर्तन
बोला हरिजन
कर तो लूँ।
लेकिन फिर
क्या बन्द हो जाएगा मेरा शोषण
यदि मुसलमान बन गया

और दाढ़ी रखा ली
तो समझो मुसीबत गले लगा ली
क्योंकि मेरे भाई
फिर मुझे रेल से, बस से,
खींच कर मारेंगे
आ गया देशद्रोही, कसाई
और मैंने थोड़ी सी और की हिम्मत तगड़ी
सरदार बनकर पहन लिया कड़ा और पगड़ी
तो लोग मुझे आतंकवादी करार देंगे
चाहे मैं कितना भी राष्ट्रभक्त होऊँ
लोग मुझे मक्कार कहेंगे
तो फिर आपने क्या सोचा है भ्रात
हरिजन बोला तात
कल से मैंने निर्वस्त्र रहने का निर्णय किया है
हमने कहा ऐसा क्यूँ
वो बोला यूँ,
कि आदमी मूलतः जन्मजात नंगा था
उस समय न हिन्दू था,
न मुसलमान था
केवल इन्सान था
कितना महान था?
कितना महान था?

हे महा कार सेवको

हे महा कार सेवको!
देश की पचास फीसदी शालाओं के पास
भवन नहीं हैं या फिर पूर्णतः जर्जर हैं
क्या इनके निर्माण हेतु
कार सेवा करवाओगे?

हे महान् समाज सुधारको!
आज भी गाँव के
नथुआ चमार की कन्या की बारात
मेरे ही गाँव के ठाकुर
बैण्ड बाजों से नहीं चढ़ने देते
क्या एक टोला उधर भिजवाओगे?

हे महान् धार्मिको!
पतित पावनी गंगा
करोड़ों कुण्टल मल-मूत्र
वार्षिक प्रवाहित होने से अपवित्र हो गई है
क्या अपनी सेवा की एक टुकड़ी को
इनकी सफाई कराने में लगाओगे?

हे महान् राष्ट्र भक्तो!
चम्बल घाटी में
हजारों एकड़ ऊबड़-खाबड़ फालतू जमीन पड़ी है

यह पूरे एक वर्ष तक
भारत के लिए अन्न दे सकती है
क्या इसे इकसार करवाओगे?
यदि हाँ
तो देश के करोड़ों
गिरिजन/हरिजन
दलित/शोषित
आपके चरण पखारेंगे
आपकी जै जै कार करेंगे
एक नहीं हजार मन्दिर बनाने में
आपका सहकार करेंगे
क्या आप तैयार हैं?
यदि हाँ तो आप सच्चे कार सेवक हो, महान् कार सेवक हो
अन्यथा बेकार सेवक हो।

न कोई नानक है न कोई कबीर है

हाँ जी हुजूर मैं कवि बेचता हूँ
जी हाँ हुजूर मैं कवि बेचता हूँ
तरह तरह के भाँति भाँति के,
किसिम किसिम के, मैं कवि बेचता हूँ
कुछ कवि काफी सस्ते हैं,
कुछ बड़े महँगे हैं,
कुछ चंगे हैं,
तनसे कुछ उजले हैं
विचारों से बड़े नंगे हैं
कुछ संगीन हैं,
कुछ रंगीन हैं,
कुछ अमरिकन हैं, कुछ हसीन हैं
हाँ जी हुजूर मैं कवि बेचता हूँ
जी हाँ हुजूर मैं कवि बेचता हूँ
मेरे पास मंच के कवि भी हैं
मेरे पास लंच के कवि भी हैं,
मैं सब रसों के कवि बेचता हूँ,
मैं राजनीतिक, धार्मिक, सामाजिक,
सभी तरह के कवि बेचता हूँ,
कुछ जनवादी कवि हैं मेरे पास,
कुछ विद्रोही हैं,

कुछ सुधारवादी हैं,
कुछ आशावादी हैं,
सरकारी, गैर-सरकारी
क्रान्तिकारी, शाकाहारी और कुछ मांसाहारी हैं
हाँ जी हुजूर मैं कवि बेचता हूँ
जी हाँ हुजूर मैं कवि बेचता हूँ
कवयित्रियों का कुछ अभाव है
इसलिए उनका ऊँचा भाव है
लेकिन दुकानदारी चलाने के लिए
एक कवयित्री जरूर रखता हूँ
लिखने के नाम पर तो अपना
एक शब्द नहीं लिखती है,
लेकिन कवि सम्मेलन खूब करती है।
हाँ जी हुजूर मैं कवि बेचता हूँ
जी हाँ हुजूर मैं कवि बेचता हूँ
लो अन्त में,
मैं आपके सामने,
कुछ और नई,
वैराइटीज,
पेश करता हूँ
मेरे पास पशु मेले के कवि भी हैं,
गोष्ठियों के,
तो कुछ अकेले के कवि भी हैं,
कुछ अक्खड़ हैं
कुछ फक्कड़ हैं,
कुछ धाँसू पियक्कड़ हैं,
लो अब चलता हूँ
और अपनी दुकान समेटता हूँ
और कहता हूँ
मेरे पास कवि तो—असंख्य हैं, बेशुमार हैं भरमार हैं

मगर मूलतः
वे दलित हैं ब्राह्मण हैं ठाकुर हैं चमार हैं परमार हैं
इसलिए मेरी कविता की यही पीर है
यहाँ कवि तो बहुत हैं
मगर न कोई नानक है
न कोई कबीर है

नेता प्रभाव

पत्नी बोली साजन
पता नहीं
पिछले कुछ दिनों से
इस लड़के में क्या हो गया है परिवर्तन
सोते सोते बड़बड़ाने लगा है
भद्दी से भद्दी
गन्दी से गन्दी
गालियाँ बकने लगा है
राम जाने क्या हो गया है
पति बोला री भाग्यवती
तू मान न मान
ये जरूर किसी नेता का भाषण सुन आया है
आजकल नेता
नितनई
एक से एक लाजवाब
गालियाँ गढ़ रहे हैं
कुछ छात्र इनकी गालियों पर पीएच डी कर रहे हैं
इनकी गालियों को सुनकर
पुलिस वाले शरमा रहे हैं
टपोरियो ठट्ठा लगा रहे हैं
जनता भी क्या ऐसे ही लोगों को चुनती है
सहेजती है
और एक शिक्षक की हर चुनाव में
हर बार जमानत जब्त कर देती है।

रावण बनाम महारावण

अब के
रावण दहन मेले के कण्ट्रोल रूम में
एनाउंस करते करते
उस समय
हमें खुन्दक आई
कि
कण्ट्रोल रूम में
खोए हुए बच्चे तो आए हजार
मगर
महिला खोई हुई एक भी नहीं आई
हमने माइक पर पूछा
इसका क्या कारण है
भीड़ में से एक महिला चिल्लाई
कण्ट्रोल रूम में जो पुरुष बैठा है
वह महारावण है
अगर कण्ट्रोल रूम में श्रीराम होते
तो ये खोतीं, वो खोतीं और हम भी खोते
मित्रो!
महिला का कथन बिलकुल सही है
देश के कण्ट्रोल रूमों में
जितने भी पुरुष बैठे हैं
उनकी आकृति कैसी भी हो
मगर मनोवृत्ति यही है।

मानसिकता

जब विदेश में
किसी भारतीय को पाकिस्तानी
या
पाकिस्तानी को भारतीय मिल जाता है
तो मानो घर बैठे भगवान मिल जाता है
और जब देश के भीतर
तमिलनाडु में यूपी वाले को यूपी वाला
और बिहार वाले को बिहार वाला मिल जाता है
तो बन्दे गले लग जाता है।
और जब प्रान्त के भीतर,
एक कोने का आदमी
दूसरे कोने के आदमी से मिलता है
तो भला सा लगता है।
और मिलते ही
सबसे पहले आप से आपकी जात पूछता है।
यदि बिरादर हुए
तो मन की सुनता है सुनाता है।
अन्यथा हैलो कहकर चलता बनता है।
ज्यों ज्यों यह भौगोलिक दूरी घटती है।
त्यों त्यों मन की संकीर्णता बढ़ती जाती है,
धीरे धीरे वह उप जाति व गोत्र पूछने लगता है,
गोया इन सबको लपेट के ही पैदा हुआ ऐसा जान पड़ता है।
आज

आदमी से आदमी के बीच
की जो बढ़ती जा रही दूरी है
उसके पीछे यही कमजोरी है, यह मजबूरी है।
जो हमारी राष्ट्रीय एकता को
घुन की तरह खाए जा रही है,
और सच में हमें
पुनः गुलामी की ओर बढ़ाए जा रही है।

जमाना ही ऐसा है

पिछले दिनों
हमारी पड़ोसिन
डॉक्टर के यहाँ चोरी हुई।
चोरी में कुछ साड़ियों, ब्लाउजों के अलावा
कोई खास चीज नहीं गई।
खास चीज होती तो जाती,
जब थी ही नहीं तो क्या जाती?
क्योंकि डॉक्टर अभी नई नवेली हैं, भोली हैं
नई नवेली से तात्पर्य यह
कि उन्होंने नई नई क्लीनिक खोली है
इसलिए बेचारी
अभी लूटना नहीं चाहतीं।
या जान बूझकर लूटना नहीं जानती हैं,
ठीक तरह से बिल तक बनाना नहीं जानती हैं,
परामर्श के केवल 10 रुपए ही लेती हैं,
फिर भी फाइनेंस वाले
इनके बिलों से खूब आब्जेक्शन लगाते हैं,
बार बार लौटाते हैं,
कहते हैं कि ये 10 रुपए लेती हैं,
इलाज क्या करती होंगी, खाक?
दवाई के नाम पर दे देती होंगी राख,

या फिर कुछ दाल में काला है,
या तो पहुँची हुई विभूति हैं,
या कोई घोटाला हैं
अरे, कम से कम अन्य डॉक्टरों का तो खयाल करें,
उनकी रोजी रोटी के साथ खिलवाड़ तो न करें,
जो परामर्श के ही पूरे सौ लेते हैं,
पाँच सौ की दवाई बाहर से मँगाते हैं,
इनके बिलों को आँख मूँद कर पास कर जाते हैं
क्योंकि ये जानते हैं
कि वे रोग से ज्यादा
बिल बनाने में माहिर हैं,
इसलिए जग जाहिर है
अतः मित्रो,
जमाना ही ऐसा है
हमारे यहाँ जो जितना ज्यादा लूटता है, खसोटता है
वह पूजनीय है, महान् है, देवता है।

तेल बचाइए—तेल बचवाइए

नव वर्ष की पूर्व सन्ध्या पर
हम अपनी एक महिला मित्र के पहुँचे द्वारे
दरवाजा खोला, मुस्कराईं
बोलीं—मृगेशजी कैसे पधारे
हमने कहा—
आप नहीं जानतीं?
कल नव वर्ष है
तद्नुसार देने आए हैं नव वर्ष की शुभकामनाएँ
लाए हैं एक छोटी सी डायरी, कैलेण्डर और कुछ गुजियाएँ
इतना सुन वो बोलीं
मृगेशजी आप भी हैं कैसे आदमी
अरे इन चीजों की हमारे यहाँ भी कौन सी कमी
अरे लाना ही था तो—
रिफाइनरी में काम करते हो,
दो लीटर पेट्रोल ले आते,
एक सप्ताह लूना चलाती
आपके गुण गाती
नव वर्ष की शुभकामनाएँ
तुम्हें भी भातीं
मुझे भी भातीं
हमने कहा मेडम
हम केवल बनाते हैं

खुद नहीं अपनाते हैं
आप ही बताइए
यदि हलवाई सारी मिठाई
खुद ही खा जाए
तो बच्चों को कौन खिलाए कौन पढ़ाए
और मैं अपनी बतलाता हूँ
कि मैं तो रोजाना साइकिल चलाता हूँ
अगर आप कहें तो आप से भी चलवाऊँ
पड़ोस में सेकेण्ड हैण्ड बिकाऊ है कहो तो दिलवाऊँ
एक महीना चलाओगी
तो मेडम करिश्मा कपूर नजर आओगी
उनको ये बात भा गई
भाई साहब लूना बेच साइकिल पर आ गईं
आपसे भी अनुरोध है
हमारे फार्मूले को अपनाइए
तेल बचाइए—तेल बचवाइए

डॉक्टर कलमवाला बनाम सुईवाला

पड़ोसी डॉक्टर के घर
सुनकर चोरी की वारदात
थरथर काँपने लगा गात
हमने फौरन पेण्टर को बुलाया
और अपने नाम के आगे लिखे शब्द
डॉक्टर को पुतवाया
फिर ब्रेकिट में लिखवाया
डॉक्टर मगर कलमवाला
ताकि रोगी और चोर
कोई न झाँक सके हमारी ओर
क्योंकि सुई वाले डॉक्टरों
को तो चोर
मानते हैं अपने ही जैसा
यह समाज सेवक चोरों से भी घातक है
मुर्दों से भी वसूल कर लेता है पैसा
इसलिए इनके यहाँ मन चाहे आ धमकते हैं
हफ्ता वसूल ले जाते हैं
फिर हमने
अपने इस निर्णय पर
बारीकी से सोचा तो
पाया कि

अगर हम ऐसा
नहीं भी करते
तो चोर हमारा
क्या बिगाड़ लेते
खामखाह पछताते
हमारे यहाँ क्या पाते
कहीं अखबारों की रद्दी
कहीं पाण्डुलिपियाँ
तो कहीं
पत्रिकाओं के अम्बार पाते
पाई क्या
चारपाई भी नजर नहीं आती
अपने को चक्रव्यूह में घिरा पाते
निकलने को होते तो
मुक्तक, तुक्तक
दोहा और रोला
बीच में ही घेर लेते
जबरदस्ती
हाइकू, क्षणिका
और लम्बी लम्बी कविताएँ ठेल देते
बेचारे चोर अधमरे हो जाते
अगर भगवान की दुआ से
इस बार बच बचाकर
भाग भी जाते
तो फिर
कभी कलमवाले
डॉक्टर के यहाँ भूल के भी नहीं आते
अपना संस्मरण
अपने साथी चोरों को सुनाते
और एहतियाती उपाय बताते

कि भविष्य में
किसी डॉक्टर के
यहाँ चोरी करने जाओ
तो पहले घण्टी बजाओ
पूछो आप
कलमवाले हैं या सुईवाले
अगर सुईवाले हैं तो आभार
कल आएँगे सपरिवार
और यदि कलमवाले हैं
तो नमस्कार
यह लीजिए
मिठाई का डिब्बा
कभी नहीं आएँगे
कभी नहीं आएँगे।
कभी नहीं आएँगे।

घरवाली और स्कूटर

खुलते ही स्कूटरों की बुकिंग
घरवाली बोली, हैलो डार्लिंग
दिल्ली में रहकर,
कैसी बातें करते हो
अरे पड़ोसियों पर कार,
तुम स्कूटर भी नहीं ले सकते हो?
हमने कहा
प्रिये हाथरस की
ना ना ना ना
इस महँगाई में दो दो स्कूटर चलाना,
अपन के नहीं है बस की
घरवाली बोली
ऐसी बातें करते तुम्हें,
बिलकुल नहीं आती शर्म है
हमने कहा
जानेमन इसमें शर्म की क्या बात
अरे तू क्या किसी स्कूटर से कम है
घरवाली बोली कैसे?
हमने कहा ऐसे
स्कूटर के लिए
तेल ला क्लच ला
टायर ला ट्यूब ला

और तेरे लिए
दाल ला दरिया ला
लहँगा ला फरिया ला
सोनू को नेकर और मोनू कू चुँदरिया ला
आगे से ला पीछे से ला
बाएँ से ला दाएँ से ला
ऊपर से ला नीचे से ला
घर नहीं है तो उधार ला
उधार नहीं मिलता तो
किसी की पॉकिट मार ला
पर ला कहीं से ला
तो प्रिये, आज के इस युग में
जिसने सही सलामत रूप से गृहस्थी चला दी
उसने स्कूटर नहीं रेल चला दी
मैं तुझे जो सींच रहा हूँ
स्कूटर नहीं रेल खींच रहा हूँ
तेरे पीछे जितने भी सोनू मोनू रूपी डिब्बे हैं
अरे सभी को तो सींच रहा हूँ

हाए डॉक्टर लिख पछताए

पीएच डी की थीसिस जमा करते ही,
हमने अपने नाम के आगे
'डॉक्टर' लगाना शुरू कर दिया
घर पर
एक लम्बा-चौड़ा बोर्ड टँगवा दिया
हमने सोचा
हमारा समाज में रुतबा बढ़ेगा
हर आदमी
हमें डॉक साहब कहेगा
और कहने भी लगे
हमें लोग एमबीबीएस डॉक्टर समझने लगे
सवेरे-शाम मरीज भी आने लगे
हम उन्हें देखते ही
पहले एक क्षणिका सुनाते,
फिर एक सवैया
और उसके बाद
धीरे से एक लम्बी कविता ठेल देते
उठ के न भाग जाएँ
इसलिए
बीच-बीच में चाय-पकौड़े भी चलाते रहते
एक बार
जो मरीज हमारे यहाँ आ जाता

हमारी चौगुनी ख्याति करता
कहता कि
डॉक्टर माणिक मृगेश
बहुत अच्छे डॉक्टर हैं
और तो रुलाते हैं वे हँसाते हैं
असली बात यह है
कि हर मरीज
मूर्ख बनने के बाद दूसरों को
भी बनवाना चाहता था
इसलिए
दूसरों को बनाने के चक्कर में
असलियत नहीं बताता था
एक दिन
हमें बड़ा पहुँचा आघात
कि हमारी पड़ोसिन
असली डॉक्टर के यहाँ
हो गई चोरी की वारदात
थर-थर काँपने लगा हमारा गात
कि कल चोर हमारे यहाँ न आ जाएँ
इसलिए एहतियाती तौर पर
हमने ठोस कदम उठाया
और
पेण्टर को बुलाकर
डॉक्टर शब्द को पुतवाया
फिर ब्रेकिट में लिखवाया
डॉक्टर, मगर कलम वाला
लेकिन हमारे रिकार्ड में
तथा परिचय पत्र में
डॉक्टर शब्द चलता रहा
जो हमें

एकाध अवसर पर तो फला,
लेकिन अधिकतर खलता रहा
एक दिन
रेलवे स्टेशन के सामने
हमने अपनी देवयानी पार्क कर दी
(देवयानी हमारी कार का नाम है)
यूँ पत्नी का भी नाम
हमने देवयानी ही रख छोड़ा है
कि दोनों में काफी समानता है
दोनों के लिए पेट्रो ईंधन लाना पड़ता है
जो बड़ा महँगा पड़ता है
खैर इतना देख
आ गया ट्रैफिक पुलिस का सिपाही
बोला—निकालो
नहीं चालान करता हूँ भाई
हमने फौरन उसके हाथ में
अपना परिचय पत्र थमाया
उस पर लिखे डॉक्टर शब्द को देख
सकुचाया
आप रिफाइनरी में डॉक्टर हैं
जाइए साहब जाइए
भविष्य में एहतियाती कदम उठाइए
अगले दिन
हमारे घर
इनकम टैक्स दफ्तर से
आ गया एक नोटिस
हमारे डर के मारे हो गए
आँव दस्त और पेचिस
डॉक्टर समझ के
उन्होंने हमें

हीयरिंग के लिए बुलाया
हम डरते डराते,
सहायक उपायुक्त के सम्मुख
हुए उपस्थित
दूर से ही देख के बोले
कहिए डॉक्टर साहब,
क्लीनिक कैसी चल रही है
हमने कहा श्रीमान
हम 'वो' नहीं
जो आप समझ रहे हैं
फिर क्या हैं
हमने कहा हम
सुई वाले नहीं
कलम वाले हैं
यदि अनुमति दें
तो एक क्षणिका सुनाएँ
वास्तविकता बताएँ
वो मुस्कराए
हस्ताक्षर करवा
मिनटों में निपटाए
पिछले दिनों अगस्त क्रान्ति में
नीचे वाली बर्थ पर
महिला सफर कर रही थीं
उन्हें खाँसी बहुत परेशान कर रही थी
उन्होंने हमारा नाम चार्ट में पढ़ लिया
बस हमें पकड़ लिया
आप तो डॉक्टर हैं न
कोई टेबलेट या सीरप पड़ा हो तो दीजिए
कैसे भी मुम्बई पहुँचा दीजिए
हमने फौरन

कुशल कंठिल की दस गोलियाँ उन्हें थमाईं
धीरे-धीरे चूसते जाओ बाई
भगवान ने करा तो
सकुशल पहुँच जाओगी मुम्बई,
वीएमसी तो
औरों से और दो कदम आगे निकली
पड़ोसियों का
हाउस टैक्स एक हजार
हमारा दो हजार कर डाला है
हाय रे हाय डॉक्टर
तूने हमारा खूब निकाला दिवाला है
हमें आज मालूम हुआ कि
यह उपाधि नहीं व्याधि है
डॉक्टर नगेंद्र इसीलिए
नहीं लगाते हैं
दूसरे बनते रहें इसलिए
औरों को नहीं बताते हैं

कवि और कन्या

वर ढूँढ़ने के बाद कल ज्यों ही
एक पिता ने अपनी कन्या को बताया,
कि बेटी मैं तेरे लिए
एक बहुत बढ़िया वर ढूँढ़ आया।
लड़के का नाम 'रवि प्रकाश' साक्षात् रवि है,
ख्याति प्राप्त उच्च कोटि का कवि है।
इतना सुन कन्या बोली—
डैड, इट इज टू बैड
तुमने सब कर दिया गुड़ गोबर,
ये वर ढूँढ़ा है या निखट्टू?
पिता बोले कैसे?
कन्या बोली ऐसे—
जब रेस्तराँ में खाना खाने की बात कहूँगी
तो मुक्तक सुनाएगा,
कॉफी पीने की बात कहूँगी
तो गीत पिलाएगा
और तात
जब कहूँगी फिल्म दिखाने की बात,
तो कहेगा, अरे भाग्यवती,
गृहस्थी को चला,
दाल पका और रोटी सेंक
फिल्म में क्या रखा है, 'ओरीजनल' देख।

और जब बात कहूँगी,
घूमने-घुमाने की,
तो कल्पना लोक में घुमाएगा
रात-भर जगाएगा,
जबरदस्ती खण्ड काव्य सुनाएगा।
और जब बात कहूँगी लिपिस्टिक
पाउडर, कास्मेटिक्स लाने की,
तो कहेगा
तेरे नैना रतनारे हैं
बिन काजल कजरारे हैं
काहू कू सिंगार बिगारे मेरी प्रिये,
तेरे अंग तो बिना सिंगार ही सिंगार हैं।
सो न पापा न,
अपनी बिटिया पर रहम करिए
और ऐसे वर मत्थे मत मढ़िए।
ओ.के. बाय-बाय,
मैं तो अपने कालेज चली,
और ऐसे बलमा से तो,
जैसी हूँ, वैसी ही भली।

आत्महत्या और रेल

पटरी पर लेटे
नवयुवक से हमने पूछा
क्यों लेटे हैं आप
बोला आत्महत्या हेतु
हमने कहा
फिर रेलगाड़ी में चढ़ क्यों नहीं जाते
वहाँ आत्महत्या की गारण्टी है
यहाँ कोई गारण्टी नहीं
क्योंकि रेल तुम तक आने से पहले
या तो पटरी से उतर जाएगी
या फिर किसी दूसरी से भिड़ जाएगी
और तुम्हारी आत्महत्या
धरी की धरी रह जाएगी
फिर रेल में मरने से
आपके दो कारज सधेंगे
आपकी इच्छापूर्ति सुनिश्चित
बदले में
परिवार वालों को लाखों मिलेंगे
इसीलिए भैया
उठो जागो भागो
और फौरन
किसी रेल मेल या पैसेंजर में
आँख मूँदकर चढ़ जाओ
अपना और अपने परिवार दोनों का
भला कर जाओ।

ओलम्पिक और हम

जब हमारे
टाँगें खिंचाई वाले मूल खेल कबड्डी को,
एशियाई खेलों ने अपनाया
तो हमने स्वर्ण पदक पाया,
यह घटना बताती है
कि जिस दिन
भ्रष्टाचारी, रिश्वतखोरी, दलाली,
भाई-भतीजावाद, ढोंग एवं
पाखण्ड जैसे करतबों को भी ओलम्पिक खेलों की सूची में
सम्मिलित कर लिया जाएगा,
हमारा दावा है कि उस दिन,
सारे स्वर्ण पदक
हमारा देश ही जीत के लाएगा

तो नहीं मरा हूँ

एक बार
एक नेताजी का
होने जा रहा था, दाह संस्कार
जब यह दुखद समाचार
पहुँचा देश विदेश
तो बड़े-बड़े नेताओं के
आने लगे शोक सन्देश
तभी प्रधानमन्त्री का शोक सन्देश आया
उसमें लिखा था
कि यदि अभी नेताजी नहीं मरते
तो देश के बड़े-बड़े कारज सरते
और उन्हें अब के मन्त्रिमण्डल में
अवश्य ले लिया जाता
चाहे बिना विभाग का ही मन्त्री बनाया जाता
इतनी सुन नेताजी की आत्मा कुलबुलाई
और अर्थी में से आवाज लगाई
कि तो नहीं मरा हूँ मेरे भाई।

वोट मुझी को दोगी माँजी

दिन भर
चुनाव प्रचार कर
एक नेता थके-माँदे सन्ध्याकाले घरकूँ पधारे
तो बिना खाना खाए ही सो गए बेचारे,
थोड़ी देर बाद पत्नी ने हिलाया,
खाने के लिए जगाया,
तो सबसे पहले
नेताजी ने हाथ जोड़कर शीश झुकाया।
और फिर हाथ हिलाया,
कि ना ना ना ना ना
खाना खाने को तभी हो सकता हूँ राजी,
जब वोट मुझी को दोगी माँजी।

एस टी की बस देखता हूँ

तलाक अर्जी पर,
विचार करते हुए,
मजिस्ट्रेट ने महिला से पूछा,
कि तुम्हारे पास क्या सुबूत है
कि ये तुम्हारा पति,
किसी अन्य नारी पर आसक्त है,
महिला बोली हुजूर,
इससे बढ़कर,
और क्या हो सकता है अधिक सुबूत
कि मेरा यह पति,
सपने तक में,
उस सौतन के गुणगान करता है
जोर जोर से चिल्लाता है
कि तू बड़ी निर्दयी है
अरे कहाँ मर गयी है
मैं एक घण्टे से खड़ा हूँ
तेरे प्यार में अड़ा हूँ
इतना सुन पास खड़ा पति बोला—
हुजूर, यह झूठ है
मेरी तो इसमें आस्था अटूट है
मैं तो इसे, हृदय से प्यार करता हूँ—सहेजता हूँ
रही सपने की बात सरकार,
सो वो तो मैं एस .टी की बस देखता हूँ।

परिणाम स्वतः साफ है

एक सरकारी खिलाड़ी
दिल्ली से मुम्बई खेलने के लिए बाई प्लेन पधारा
वापसी में वह बेचारा,
रेलगाड़ी के दूसरे दर्जे से घर पहुँचा,
पत्नी ने पहुँचते ही सबसे पहले परिणाम पूछा,
पति बोला,
री भाग्यवती,
इसमें भी कोई पूछने की बात है,
जो खिलाड़ी,
प्लेन से गया हो,
और ट्रेन से लौटा हो,
परिणाम स्वतः साफ है।

फिल्म का शीर्षक

एक बार हमारे घर,
पधारे एक फिल्म प्रोड्यूसर।
बोले, महाशय,
कोई अचूक नुस्खा बताइए
हमारी फिल्मों को पिटने से बचाइए।
हमने कहा श्रीमान
आप अपनी फिल्मों को,
सबसे पहले,
अधिक से अधिक सैक्सी बनाइए,
और फिर हमें बताइए।
प्रोड्यूसर बोले
पर महाशय उसे सेंसर में कौन बचाएगा?
हमने कहा
इसके लिए हम आपको दूसरा नुस्खा बताएँगे।
जिसे सेंसर क्या
सेंसर का बाप भी नहीं काट पाएगा।
जिसके जरिए आप अपनी फिल्मों में,
अश्लील से अश्लील दृश्य फिल्मा सकेंगे।
अभिनेत्री को मनचाहे निवमन करा सकेंगे
आपको एक छोटा-सा काम करना होगा—
फिल्म का शीर्षक आदिवासी रखना होगा।

मेला तरणेतर—जाइए मगर छाता लेकर

एक दिन हमारे सौराष्ट्री मित्र भोले,
हम से बोले,
मृगेश जी—
मेला-दशहरा, तीज-त्यौहारों के बारे में भी
कुछ जानते हो,
या केवल कवि सम्मेलनों की ही हाँकते हो
अरे
मेला तरणेतर जाइए,
जीवन को सरस बनाइए
हमने कहा ठीक है
इस मेले की कुछ खूबी बताइए
उन्होंने मेले की बताई पूरी दास्तान
आप भी सुनिए श्रीमान
कि इस मेले में
अविवाहित युवक
रंग-बिरंगे सजे-धजे
छाते लेकर जाते हैं
पूरे मेले में घुमाते हैं
जो युवती उनके छाते में आ जाती है
हमेशा के लिए उनकी हो जाती है
इतना सुन, अपन का भी मन ललचाया

और अगले दिन प्रातः होते ही
मेला तरणेतर जाने का प्लान बनाया
जाकर घर पत्नी को बताया,
कि कल हमें
मेला तरणेतर जाना है
मेले में आए कलाकारों से
सर्जना के लिए खास इण्टरव्यू लाना है
इतना सुन पत्नी मुस्कराई
ठीक है चले जाना
मगर छाता मत ले जाना
इतना सुन हमारे अरमानों पर फिर गया पानी
अरे इसको
कैसे मालूम पड़ गई यह राम कहानी
हमने कहा देवयानी
सब कर दिया गुड़ गोबर
आप कहती हो कि
छाता मत ले जाना
और हमने तो
बहुत बड़े छाते के लिए दिया था आर्डर
मित्रो,
अब आप ही बताएँ
कि इस छाते का हम क्या करें?
कहाँ घुमाएँ?

अनुवादक बनाम तबलावादक

हमारे एक हास्य कवि मित्र की पत्नी
यूँ तो मामूली लिखी पढ़ी हैं
मगर दिखावे में औरों से
कुछ ज्यादा ही बढ़ी चढ़ी हैं
बात बात पर अँग्रेजी की
टाँग तोड़ती हैं
कहीं का हिस्सा कहीं जोड़ती हैं
कुछ दिन बाद घर हुआ रोशन
हमारे मित्र का ट्रांसलेटर के पद पर
हो गया प्रमोशन
मित्र ने यह खुशखबरी पत्नी को सुनाई
उन्होंने भारी खुशी मनाई
दूजे दिन मित्र के घर
एक खास सम्बन्धी आया
मित्र पत्नी ने बड़े हर्षोल्लास से
उन्हें यह समाचार सुनाया
हमारे इनका भाग्योदय हो गया है
और रेगूलेटर के पद पर मोशन हो गया है
सम्बन्धी भी कुछ कम पढ़े लिखे थे
अँग्रेजी में कुछ नव सिखे थे
बोले ये तो बड़ी खुशी की है बात,
भगवान करें भाई साहब का मोशन ऐसे ही
होता रहे दिन रात

और करके चले गए जलपान
खुदानखास इतने में ही
हमारे मित्र आ पहुँचे श्रीमान
पत्नी बेतहाशा से बोली
अजी सुनो तुम्हारे वो आए थे
मैंने तुम्हारे मोशन के बारे में
सब कुछ बता दिया है
कि तुम्हें रेगूलेटर बना दिया गया है
मित्र बोले
अरी भाग्यवती तूने सब कर दिया गुड़ गोबर
मैं रेगूलेटर हुआ हूँ या एक्सीलेटर
मित्र पत्नी बोली ए जी
अगर ऐसा है तो गलती हो गई
माफ करना आइन्दा नहीं करूँगी
कृपया इसकी हिन्दी बता दो
आगे से हिन्दी में ही बता दिया करूँगी
मित्र बोले
अरी रहने दे भाग्यवती
तू हिन्दी में भी मेरी ऐसी की तैसी करेगी
और अनुवादक की जगह तबलावादक ही कहेगी

वेलेण्टाइन डे

ज्यों ही वेलेण्टाइन डे के दिन
हमने अपनी पत्नी-प्रेमिका को फूल में टकिया
तो फौरन पुलिसवाले ने आकर पकड़ लिया
बिलकुल नहीं शरमाते हो
विदेशी संस्कृति अपनाते हो
हमने कहा श्रीमन्
भारतीय संस्कृति क्या है
बताइए भगवन्
क्या प्रेम का इजहार मात्र विदेशी संस्कृति है
फिर हमारे वेद, पुराण, कृतियाँ
और खजुराहो की मूर्तियाँ—
प्रेम प्रतीक से क्यों भरी पड़ी हैं
ठीक है आप कहते हैं
तो फूल नहीं देते हैं
लेकिन आप बताइए
क्या आप विदेशी कम्पनियों के आगमन पर रोक लगवाएँ
उनके बच्चों को कानवेण्ट स्कूलों में पढ़ने से रुकवाएँ
देशी भाषा के देशी स्कूलों में पढ़वाएँ
श्रीमन्—
संस्कृति जड़ वस्तु नहीं
परिवर्तनशील है
पहले प्रेमपत्र कबूतर ले जाता था

और आज ई मेल है
परिवर्तन जीवन का शाश्वत सत्य है
जिसे न कोई रोक पाया है न रोक पाएगा
जितना इसका विरोध
करोगे उतनी ही इसमें आएगी तेजी
जैसे कि विरोध से
दिनों दिन बढ़ती जा रही है अँगरेजी
इसलिए जाओ
पहले विदेशी कम्पनियों के
आगमन पर रोक लगवाओ
फिर हमें बताओ।

देश का मीटर

कल हमारे एक सर के सर,
यानी कि एक सीनियर अफसर,
एक टैक्सी वाल्ले से भिड़ गए,
ख्वामख्वाह लड़ गए
बोले तू हमारे साथ छल कर रहा है,
तेरा मीटर गलत चल रहा है।
इतना सुन टैक्सी ड्राइवर बोला
हुजूर,
जब पूरे देश का ही मीटर गलत चल रहा है
तो ये निपूता कैसे रह सकता है दूर?
अगर देश का मीटर सही चलता,
तो चीन का अरुणाचल प्रदेश में हेलीपेड कभी न बनता।
ना ही आतंकवादियों को पाक का प्रशिक्षण मिलता,
पंजाब कभी न जलता।
अगर देश का मीटर सही चलता,
तो असम कभी न सुलगता,
और यदि देश का मीटर सही रीडिंग ही देता
तो जज के सामने अर्दली, खुल्लम खुल्ला रिश्वत न लेता
अगर देश का मीटर सही ही चलता, तो लोकसभा को असामयिक
मौत का मुँह न देखना पड़ता
हिन्दी को हिन्दुस्तान में पग पग पर,

अपमान सहना न पड़ता
और सही मायने में सर,
सही मीटर चलने से काम कहाँ है चलता?
परिवार कहाँ है पलता?
क्या पल रहा है उस मजदूरिन का परिवार?
जिसने बनाए हैं,
ताजमहल, लालकिला और कुतुबमीनार।
इसमें मीटर का क्या दोष है?
यह तो आपका ख्वामख्वाह का आक्रोश है।
अरे दोष है तो उस व्यवस्था का,
जिसने हमें इन्सानियत से
बहुत दूर, बहुत दूर, बहुत दूर कर दिया है,
और 'गलत मीटर' रखने को मजबूर कर दिया है।

आपके अलावा मेरे दो ही तो दीवाने हैं

घुसते ही घर में यूँ पति बोले पत्नी से,
अपन कू छोड़ तेरे कितने दीवाने हैं?
बोली प्राणनाथ से यूँ पत्नी सकुचि कछु
आपके अलावा मेरे और दो दीवाने हैं।
महीना में बार द्वै मिलन जाती उनसे मैं,
आपसे बना के झूठे-मूठे से बहाने हैं
राशन दुकानवाला, आलू और प्याजवाला,
आपके अलावा मेरे दो ही तो दीवाने हैं।

पत्नी गाँव से शहर की ओर

गाँव

आते जब नौकरी को छोड़ हम सजनी को,
सजनी बिचारी ठाड़ी घुँघटा निहारती,
जाते जब लौट हम घर अपने कूँ मित्र,
पानी को लोटा हमें कर में गहावती।
चौपाल पै बैठे होते जब हम जन बीच,
चिमटा बजा के हमें घर में बुलावती,
प्रेम की पलेट में हुन को हलुआ धरि,
नंदिनी के दादा कहि हम कू चटावती।।

शहर

जब से पधारी नारी दिल्ली में हमारी यार,
'टा टा' कहि आफिस कूँ भूखा ही भगावती।
आते जब लौटि हम घर अपने कूँ मित्र,
हैलो 'मृगेश' कहि हम कूँ पुकारती।
धारण करै है जीन पैण्ट छोड़ धोवती कूँ,
चश्मा लगाय नित क्लब कूँ जावती।
पैग सुरा को बनाय पी हमें हु पिलाय,
और कमर हिलाय हमें 'डिस्को' दिखावती।।

सरकारी चश्मा

आँख टैस्ट करने हेतु
लेडी डॉक्टर ने
हमें स्टूल पर बैठाया
फिर माइक्रोस्कोप
हमारी आँखों की तरफ घुमाया
फिर धीरे से हमसे बोलीं
मेरी बायीं आँख की तरफ देखिए
हम चकराए
मगर मन ही मन मुस्कराए
हमने कहा जी:–
आज नहीं, कल देखेंगे
वो बोली
क्या मतलब?
आज क्या बात है?
हमने कहा
बात-वात कुछ नहीं
आज हमारी पत्नी हमारे साथ है
वो मुस्कराई
अच्छी तुकबन्दी कर लेते हो मृगेश भाई
हाय रे तकदीर
यहाँ भी बना डाला भाई

आठ वर्ष हो गए गुजरात में
मगर आज तक
एक भी नहीं मिली भौजाई
जिधर देखो बेन ही बेन, भाई ही भाई।

इसीलिए
यहाँ परिवार नियोजन की कभी समस्या नहीं आई
उन्होंने दस पन्द्रह लैंस बदलकर
प्लस दो का दे दिया नम्बर
नम्बर ले
ऑप्टीशियन की पहुँचे दुकान
पर्ची पकड़ाई
वो बोला--
वाकई चश्मा दिखाऊँ
या सिर्फ कैशमीमो बनाऊँ श्रीमान्
हमने कहा यार
कैसी बात करते हो?
वो बोला
करता नहीं कर रहा हूँ
सवेरे से सभी ग्राहकों को
कैशमीमो ही तो दे रहा हूँ
हम चश्मा का दे आर्डर
पहुँचे एक दवाई घर
पर्ची ले बोला कैमिस्ट
बाबूजी--
दवाई दूँ या लिपिस्टिक
हमने कहा--
फैंटास्टिक
चारों तरफ
दुविधा ही दुविधा

वाह री सरकार सुविधा
यहाँ भी गोरखधन्धा
कितना भी दे दीजिए
मगर
ना कभी हुआ है
ना कभी होगा
तृप्त—
ये सरकारी बन्दा
नाम नैन सुख
आँख का अन्धा।

पुलिस और ईमान

स्टेशन के पास
स्कूटर पार्क कर
खरीदने लगे
इम्प्लॉइमेण्ट न्यूज पेपर
तभी
ट्रैफिक पुलिस का
आ गया सिपाही
बोला रोंग साइड कर दिया है पार्क
चालान करता हूँ भाई
हमने कहा
एक कवि को
काहे करते हो परेशान
कुछ ले ला के छोड़ दो श्रीमान्
सिपाही सिपाही था
मगर कुछ सिद्धान्तवादी था
बोला
मैं अपने हाथ से कभी कुछ नहीं लेता
जो देना हो
मेरे पैण्ट की पीछे वाली पॉकिट में
रख दो भाई जान
हमने सोचा सिपाही

और कह रहा है भाई जान
निश्चित ही इसका दिल है भावना प्रधान
हमारे पास देने के लिए थे मात्र दस रुपैया,
हमने मुट्ठी बन्द कर जेब में डाल दिए भैया
जब हमने यह रोचक किस्सा
रेल के डिब्बे में सुनाया
तो एक व्यक्ति बोला भाया
तेरी जगह अपन रहता
तो दस की जगह
केवल पाँच ही रखता
कौन सा देख रहा था
इतना सुन पास बैठा
दूसरा व्यक्ति बोला
अगर इन भाई साहब की
जगह अपन रहता
तो सिपाही को मुफ्त में ही टरकाता
खाली मुट्ठी ही जेब में ऊपर नीचे घुमाता
इतना सुन बोला तीसरा व्यक्ति
जो था खद्दर धारी नेता
अपन तो उसकी जेब में
खाली मुट्ठी डालता
और उसकी जेब में
जो कुछ भी होता, खींच लेता
मित्रो यह घटना
घटना ही नहीं, है एक फीचर फिल्म का रंगीन चित्र
जो चित्रित करता है
मेरे देश के लोगों का चरित्र
निष्कर्षतः यह बात जानदार लगती है
कि आज आम आदमी की तुलना में
पुलिस ज्यादा ईमानदार दिखती है

कवि और डॉक्टर

लगातार तीन दिन तक
नित नई दवाई बदलने के बावजूद
जब हमें दस्त नहीं आया
तो चौथे दिन
डॉक्टर ने हमें एक कैप्सूल पकड़ाया
कि यह घोड़ा छाप है
इससे दस्त नहीं
दस्त का आ जाएगा बाप है
मगर जब हमें
उससे भी दस्त नहीं आया
तो डॉक्टर घबड़ाया
और होकर परेशान—बोला—
आखिर आप करते क्या हैं श्रीमान्
हमने कहा
हमारा नाम रवि प्रकाश रवि है
अपन एक छोटासा हास्य कवि है
इतना सुन डॉक्टर मुस्कराया
रे फटीचर।
तब से क्यों नहीं बताया
ले बीस रुपए
सामने होटल है वहाँ जा
पहले भरपेट भोजन करके आ
हमने कहा क्यों?
डॉक्टर बोला यों

मेरे बाप
जब भूखापेट रहेगा
तो भाड़ करिश्मा दिखाएगा घोड़ा छाप
अरे दर्शनशास्त्री!
इस देश की यही तो थाती है
यहाँ की जनता यहाँ की सरकार
कवियों/कलाकारों-साहित्यकारों को तो
फालतू की चीज बताती है
अरे शैल शनीचर!
पता है धूमिल और मुक्तिबोध कैसे मरे थे
उनकी दवाई के भी लाले पड़े थे
और जानता है--
गुलाबो, तीजनबाई व सत्यजित रे
को हमने पद्मश्री तब उढ़ाई
जब विदेशियों ने उनकी कला सराही
हमारे यहाँ के
प्रतिभावान खिलाड़ी, कलाकार
न जाने कैसे-कैसे
अपनी जीवन गाड़ी खींच रहे हैं
हमें मालूम है कि
एक स्वर्णपदक विजेता तो
ग्वालियर में गोल गप्पे बेच रहे हैं
एक कलावती बर्तन माँज रही है
दूसरी सब्जी बेच रही है
इसलिए कान खोलकर सुन ले
हे महा कवि!
इस अर्ध पिशाच समाज में
कवि को, कलाकार को
न मान सम्मान मिला है, न मिलेगा
भूखा मरा है भूखा मरेगा
तू ही बता—
तब तू भर पेट भोजन ही नहीं करेगा
तो फिर दस्त कहाँ से उतरेगा।

फोटोग्राफ बनाम ऑटोग्राफ

जब पत्नी मायके में,
सखियों के साथ हिंडोले में झूलने लगी,
और हमें धीरे-धीरे भूलने लगी,
तो हमें एक उपाय सूझा
और हमने पत्नी को किसी दूसरे के नाम से
एक पत्र डाल दिया झूठा
कि भाभी जी!
तुम गई हो जब से, तब से
मृगेश जी कवयित्री सम्मेलनों में व्यस्त हैं
तुम भले ही चिन्तित हो,
लेकिन ये बड़े मस्त हैं
रोजाना नई कवयित्री को प्रकाश में ला रहे हैं
तुम्हारी गैरहाजरी का पूरा पूरा लाभ उठा रहे हैं
तुम्हें आज तक इन्होंने कभी भी कार में नहीं घुमाया
जब तुमने कहा भी तो इन्होंने हमेशा
पेट्रोल महँगाई का बहाना बनाया,
और अब कवयित्रियों को रोजाना कार में घुमाते हैं
कबीरवट, आजवा निमेटा तो कभी
माउण्ट आबू तक की सैर कराते हैं। तुम्हारे सामने,
तुम्हारी खूबसूरती के झूठे पुल बाँधते थे,
मृगनैनी, चन्द्रमुखी तो कभी देवयानी बताते थे,

लेकिन पीछे कहते हैं
कि अपन पत्नी से बड़ा दुःखी है
लावे वाली भयंकर ज्वालामुखी है
तुम्हें तुम्हारे सामने कहते थे
कोमलांगी है, शुभांगी है, निघ्रात पुष्पं कोरा है
और अब कहते हैं
कि पत्नी नहीं दो कुण्टल का बोरा है
इसलिए यदि
चाहती हो गृहस्थी को बचाना
तो जैसी बैठी हो वैसी ही चली आना
अन्यथा अपने पति को नहीं पाओगी
जिन्दगी भर के लिए अनाथ रह जाओगी
ज्यों ही पत्नी ने यह पत्र पढ़ा हमारा
पढ़ते ही पत्नी का 110 डिग्री चढ़ गया पारा
फौरन सामान लपेट कर
बच्चों को समेट कर
द्वितीय श्रेणी के डिब्बे में लटक लटकाकर
पिस पिसाकर
बिना रिजर्वेशन के ही बेचारी
दो महीने के बजाय एक महीने में ही
टाउनशिप आ पधारी
दूर से ही आँख दिखाकर
झाड़ू लेकर
हमसे बोली
क्यों बे नाशपिटे
मैं जब से गई हूँ, गुलछर्रे उड़ा रहा है
मैं वहाँ बच्चों के साथ
पापड़ बेलती रही
और तू यहाँ नित नई कवयित्री को चमका रहा है
मुझसे कहता था पेट्रोल महँगा है

और उन्हें माउण्ट आबू तक घुमा रहा है
हमने कहा भाग्यवती
तुम्हारा गुस्सा बेकार है
क्योंकि अब हमारे हुश्न पर उतार है
हमारे हुश्न की हुलिया धीरे धीरे ढलने लगी है
कल तक जो सुन्दरियाँ
हमसे हेलो हाय मृगेश कहा करती थीं
अब चाचा जिराफ कहने लगी हैं
कल तक माँगती थीं फोटोग्राफ
अब ऑटोग्राफ माँगने लगी हैं
और रही पत्र की बात
तो प्रिये!
पत्र तो हमने ही डाला था
यह तो मात्र एक बहाना था
असलियत में प्रिये तुम्हें जल्दी बुलाना था।

बैगी बनाम बैग

जब से हमारी हास्य कविता
ऑटोग्राफ बनाम फोटोग्राफ छपी है,
मोहल्ले की सारी महिलाएँ
(खासकर हम उम्र और अधिक उम्र की)
हमसे अंकल जी कहने लगी हैं,
हमें सीरियस समझने लगी हैं
कोई कोई तो हम पर,
अभी से ला देती हैं बुढ़ापा,
कहती है–
देखो आ रहे हैं, मृगेश जी पापा
हम अपनी इस छवि से उबरना चाहते हैं
गोविन्दा, चंकी और संजय दिखना चाहते हैं
अतः हमने काफी सोच समझकर
फैसला किया है कि
अब की बार हम अपने लिए
एक ढीली ढाली शर्ट एक घुटन्ना एवं
एक बैगीनुमा जीन्स की पैण्ट सिलवाएँगे।
अति आधुनिक दिखें
इसके लिए उसे जगह-जगह
जानबूझकर फाड़ लेंगे,
इधर इधर की बखिया उखाड़ लेंगे
और आगे पीछे

हिप्पियों की सी चिप्पियाँ चिपकाएँगे।
जिन पर लिखा होगा—
वाण्टेड, प्लीज फौलो मी,
आई नेवर से नो
लव मी एण्ड सो सो।
मजाल है फिर महिला
हमसे अंकल जी कह जाए
सभी हाथ उठाकर कहेंगी
हैलो डार्लिंग मृगेश हाय हाय।
हम अपनी इस काल्पनिक
देवानन्दी छवि पर फूले नहीं समाए
शाम को घर वापस आए
बहुत रोका पर रोक नहीं पाए
हमने खुशी खुशी
अपनी पूर्णांगिनी को यह योजना बताई
कि हे बेलनधारिणी
अगर आप अन्यथा ना लें
तो इस बार हम भी
अपने लिए एक बैगी सिलवा लें।
इतना सुन पत्नी ने मारी फटकार,
यह उम्र बैगी पहनने की नहीं,
बैग लटकाने की है भरतार
लो पकड़ो
जल्दी जाओ बाजार,
पाँच किलो आलू, एक किलो प्याज
आधी किलो टमाटर और
साथ में ले आओ
एक छोटी शीशी आम का अचार।
हम चुपचाप
झोला उठाए, गर्दन झुकाए

बाजार की ओर चल दिए
अपनी गलती पर रो दिए
रे बुद्धू!
इस निर्दया को
यह योजना काहे बताई
सारी कल्पना रह गई धरी की धराई
खामखाह अपनी किरकिरी और करवाई
संसार की हर पत्नी
उसका पति
हुड़कचुल्लू सा दिखे
यह चाहती है
ताकि कोई अन्य महिला,
उसके पति पर न डाल सके डोरे,
और वह बेचारा
सोते जागते, उठते बैठते मजबूरन
अपनी ही खटरा के
करता रहे निहोरे।
सो हे समान विचारको!
अगर आप चाहते हो कुछ करना,
अपने मन की मन ही रखना
अपनी अर्धांगिनी से भूलकर भी अपने मन की मत कहना
वरना पछताओगे
और हमारी तरह पूरी जिन्दगी
कुरता पायजामा पहने
झोला लटकाए,
आलू प्याज ही ढोते नजर आओगे।

धर्म परिवर्तन

हम अपने धर्म परिवर्तन की बात को ले,
रातों रात इतनी प्रसिद्धि पा गए।
कि बिलक्लिंटन की तरह मीडिया पर छा गए
हमारा घर पालिका बाजार बन गया।
संवाददाताओं का घर बन गया,
चार आएँ चार जाएँ।
चार हँसें चार गाली सुनाएँ।
इसी दरम्यान,
एक नेता जी आ पहुँचे श्रीमान।
बोले क्यों भाई,
आपको धर्म परिवर्तन करते समय बिलकुल शर्म नहीं आई।
हमने कहा माफ करना साहब,
क्या आपको आई।
नेता जी बोले कब,
हमने कहा,
आपने गत छह महीने में
छह बार दल परिवर्तन किया था तब
नेता जी बोले जी नहीं,
हम बोले फिर आप
क्यों होते हैं परेशान।
अरे परिवर्तन-परिवर्तन सब एक समान।
धर्म परिवर्तन हो या दल परिवर्तन।

हृदय परिवर्तन हो या स्थान परिवर्तन।
और अगर परिवर्तन न होता,
तो ना रात होती ना दिन होता।
क्योंकि हमारी भौगोलिकी एवं रासायनिकी
तक इसी परिवर्तन पर टिकी है।
हमने दूध से दही इसी परिवर्तन के कारण चखी है।
और अगर परिवर्तन के अच्छे परिणाम न होते,
तो जे पी डाकुओं का हृदय परिवर्तन काहे कराते।
इतना सुन नेता जी खिसक गए बेचारे,
और थोड़ी देर बाद एक समाज सुधारक जी पधारे।
बोले भाई आपने अच्छा नहीं किया,
खैर किया सो किया,
लेकिन अब हम आपका शुद्धिकरण करेंगे,
और आपको पुनः हिन्दू करेंगे,
हमने कहा हिन्दू या पुनः हरिजन बनाओगे
दूर से ही पानी पिलाओगे।
इसके अलावा आपके पास
और क्या रचनात्मक प्रोग्राम है।
समाज सुधारक जी बोले, गायत्री मन्त्र और ओम नाम है,
हमने कहा ठीक है।
पुनः हिन्दू बनेंगे, पर ये बताइए,
कि क्या आप अपनी कन्या की शादी हमारे साथ करेंगे।
समाज सुधारक जी बौखला कर बोले,
ये तो प्रश्न संस्कारों का है।
हमने कहा—
और धर्म परिवर्तन चौराहों गलियारों का है
हमने कहा भगवन
जब तक हरिजन का होता रहेगा,
आर्थिक, सामाजिक व राजनैतिक शोषण
तब तक होते रहेंगे धर्म परिवर्तन।

टेलीफिल्म

आजादी की इक्यावनवीं वर्षगाँठ पर
ज्योंही हमने टेलीविजन का बटन दबाया
उसमें से समूचे देश का नक्शा निकल के आया
देखिए तरह तरह के
दृश्य हैं, परिदृश्य हैं
कुछ करुण हैं कुछ हास्य हैं
कुछ ब्लैक ऐण्ड व्हाइट हैं
कुछ रंगीन हैं
कुछ हसीन हैं कुछ काफी गमगीन हैं

देखिए पहला दृश्य है
राजस्थान से इसे इंसैट बी ने भेजा है
इसमें एक महिला ने अपने आपको जिन्दा ही सहेजा है
नाम है रूप कुमारी
जल गई या जला दी गई
अच्छा किया
वरना तड़प तड़प कर मर जाती बेचारी
क्या हमारा ये समाज
उसकी भावनाओं को
भावना से लेता
क्या पुनर्विवाह करने

की इजाजत देता
कभी नहीं देता

अगला दृश्य
हास का है परिहास का है
अतीत का है इतिहास का है
रोजाना एक
राम जानकी मंदिर
और एक बाबरी मस्जिद बन जाती है
और सच मानिए भाई सहाब
मेरे गाँव के स्कूल के छत
बिना पटे हर साल
यूँ की यूँ ही रह जाती है
कोई बन्दा
आज तक उसके लिए माँगने नहीं आया चन्दा।

अगला चित्र
सामाजिक है सचित्र है
पावन है पवित्र है
इलाहाबाद के संगम से आया है
इसमें
एक जज ने
अपनी कुर्सी को ही गंगाजल से निल्हाया है
कारण—
इस पर एक हरिजन जज बैठता था
यह बताया है

अगला सीन सरकारी है
इसमें भीड़ कुछ भारी है
दलितों का है पीड़ितों का है

पिछड़ों का है वंचितों का है
खचेरू को भैंस के लिए
दस हजार का ऋण स्वीकृत हुआ है
लेकिन उसके पल्ले
तो केवल दो हजार ही पड़ा है
अब आप ही बताइए हुजूर
ये अन्त्योदय है कैसा
दो हजार की भैंस आएगी या भैंसा
वह ऋण वापसी कैसे करेगा
हमेशा हमेशा के लिए
गाँव छोड़कर भाग जाएगा।

अगला दृश्य
घोटालों का है
चोटालों का है
चारा का है
यूरिया का है
सीमेण्ट का है सरिया का है
बोफोर्स का है फेअर फैक्स का है
क्लाइमेक्स का है
कितने शर्म की बात है
कि हमारा इतना संसाधनों वाला देश
छोटे से देश स्वीडन से तोपें मँगाता है
उसमें भी दलाली खाता है।

अगला सीन है
राजधानी से आया है
इसमें एक बुजुर्ग कवि को
कुछ निर्दयी श्रोताओं ने काफी सताया है
तरह तरह से उसकी टाँग खींच रहे हैं

आजादी की बेल को भट्ठे से सींच रहे हैं
वह है कि तरह तरह के परीक्षण करता है
लोगों को डराता है
धमकाता है
फिर आगे को अपनी कविता पढ़ाता है
सुनाता है
और अगला चित्र
इस टेलीफिल्म के
उपसंहार का है समाहार का है
चीत्कार का है
हाहाकार का है
देश के नेताओं, चेताओं
प्रणेताओं और अभिनेताओं का है
जो मेरे देश की
भोली भाली जनता को
भाषा, धर्म और जाति के नाम पर
आपस में लड़ा रहे हैं
सच मायने में मेरे
देश को विघटन की ओर बढ़ा रहे हैं।

हाय रे इनकम टैक्स

अखबार में
रेडीमेड कपड़ों की
अद्भुत सेल का
पढ़कर समाचार
पत्नी ने योजना बनाई
चलो चलें
खरीद लाते हैं
आपके लिए कुर्ता, पायजामा
लड़के के लिए जींस
लड़कियों के लिए पंजाबी सूट
और अपने लिए
दो गार्डन की साड़ियाँ
हाफ रेट में मिल रही हैं मियाँ
इसके साथ ही
उसने हवाई कल्पना उड़ाई
कि गर्मियों की छुट्टियों में
दस दिन तुम्हारे गाँव में
दस दिन अपने गाँव में
और दस दिन
रिश्तेदारियों में घूम आऊँगी माणिक भाई
मगर

फरवरी की पे स्लिप देखकर
सारी की सारी योजनाएँ
रह गईं धरी की धराई
फाइनेंस वालों ने हमारी
तनख्वाह मात्र छियत्तर पैसे बनाई
इतनी राशि देखकर
हमें बड़ी लज्जा आई
क्या फाइनेंस वालों को भी आई
आई होगी जरूर
मगर इनकम टैक्स के सामने वे भी थे मजबूर
लेकिन काश इतना तो करते
इनकम टैक्स की राशि
पहले ही महीनों से और ज्यादा काटना शुरू कर देते
तो हमें यह दुर्दिन नहीं देखने पड़ते।
खैर कोई बात नहीं
अपनी भी कैसी
किस्मत जगी है
बैठने को कुर्सी नहीं
सोने को चारपाई नहीं
और सरकार
हमें उच्च आय वर्ग में समझने लगी है
कितना अच्छा दृष्टिकोण है
कितना अच्छा है नारा
रहने को घर नहीं
सारा हिन्दोस्ताँ हमारा
हमें फख्र है कि
हम देने लायक न होकर भी
इनकम टैक्स दे रहे हैं
यातनाएँ झेल रहे हैं
और जो देने लायक हैं

वो सरकारी आश्रय में दण्ड पेल रहे हैं
इन फिल्म वालों को ही देख लो
एक फिल्म में काम करने के
पचास लाख लेते हैं
इनकम टैक्स वालों को
क्या थमाते हैं
आप भलीभाँति जानते हैं
फिर भी इनको महान् बताते हैं
सरकारी कर्मचारियों को
ऊपर से नीचे तक सभी बेईमान बताते हैं
इन लाला जी को ही देखो
उड़द की दाल में खूब कंकड़ मिलाते हैं
दो दो कैशमीमो भी रखते हैं
पता नहीं कितने फर्जी नाम से
इनके खाते चलते हैं
इनकम टैक्स वाले
इन्हें कभी नहीं पकड़ते हैं
ये देखो बैठे हैं सामने
डॉक्टर साहब एमडी
एक साल में ही खरीद ली है फ्रण्टी
अलकापुरी में ले लिया है फ्लैट
इनकम टैक्स वालों की
इनके यहाँ कभी नहीं पड़ती है रेड
ये देखो यह है अधिवक्ता
इसने गरीब किसान को
लूट लूट कर बना दिया खस्ता
यह इनम टैक्स कभी नहीं भरता है
क्योंकि कानूनी दाँव पेंच जानता है
अरे हम से तो
अच्छा है

ये भोलू चाँट वाला
कहने को ही चाँट वाला है
दस मकान वाला है
अपन को देखो
यदि सरकारी लोन नहीं मिलता
तो अपन के नसीब में तो
वो झोंपड़पट्‌ट वाला घरघुल्ली सा मकान ही रहता
खैर कहाँ तक बताएँ आपको ऐसे चरित्र
बताते बताते महीनों लग जाएँगे मित्र
अब अपने पूर्व प्रसंग पर आते हैं
अपनी बताते हैं
अबके बिजली का बिल नहीं भरा जाएगा
दूधवाले को हाथ जोड़ने पड़ेंगे
बच्चों के कपड़े तीन महीने बाद आएँगे
राशन उधार लाना पड़ेगा
इनकम टैक्स ने हमारी
ये हालत कर दी है
इसलिए वो सेल वाली योजना
अब अगली वर्ष तक के लिए
स्थगित कर दी है।

मैटरनिटी होम (यानी न मैटर, न टी और न होम)

अभी पिछले दिनों
हम गृहनगर
शादी में गए
एक अजूबा
मैटरनिटी होम देखकर दंग रह गए
न कोई होम न कोई चिकित्सक
एक खटारा मैटाडोर,
जिसमें बैठे हुए थे
मैटरनिटी होम के सर संचालक
हमने पूछा—
आपका मैटरनिटी होम कहाँ है
वे बोले—यही तो है
तो चिकित्सकीय सुविधाओं के अभाव में
आप प्रसव कैसे कराते हैं
वो बोले—
बुजुर्गों वाली प्राचीन पद्धति अपनाते हैं
प्रसव-पीड़िता को
पहले मैटाडोर में लिटाते हैं,
फिर नगर निगम द्वारा बनाई गई
विशेष गड्ढेदार सड़कों का
एक चक्कर लगवाते हैं
वैसे तो पहले ही चक्कर में चक्कर आ जाता है
और आगन्तुक अवतरित हो जाता है
यदि खुदा न खास न हुआ तो

दूसरा चक्कर लगाते हैं
इसमें डिलीवरी की शतप्रतिशत गारण्टी है
हालाँकि इसकी जरूरत कम ही पड़ती है
मात्र रुपए सात सौ पचास लेकर
मात्र तीन घण्टे में दर्दी को दे दी जाती छुट्टी है
हमने कहा—
आपने यह पीड़ादायक गैर स्वास्थ्यकर
तरीका ही क्यों चुना
वे बोले—
यह सहज है सस्ता है अच्छा है
प्राकृतिक ढंग से हो जाता बच्चा है
आप जानते हैं
कि देश की नब्बे फीसदी जनता,
गाँवों में रहती है
जो कि महँगे मैटरनिटी होमों का खर्चा वहन नहीं कर सकती है
ये महानगरों वाले
बड़े-बड़े मैटरनिटी होम वाले—
दर्दी को एक महीना पहले, भर्ती कराते हैं
साधारण से साधारण केस को भी
बड़ा ही कॉम्प्लीकेटेड बताते हैं
हर बच्चे को टेढ़ा बच्चा बताते हैं
दर्दी को रुलाते हैं
पति को डराते हैं
आखिर परिवार वालों को कर देते हैं मजबूर
फौरन एनस्थीसिया देकर
ऑपरेशन कर डालते हैं हुजूर।
इस विधि से प्रसूता को
कुछ मालूम ही नहीं पड़ता
उसके कुछ हुआ या न हुआ
हुआ तो कैसे हुआ
और न आगन्तुक मेहमान को भी
कुछ पता चलता कि
वो किस तरह हुआ और किसके हुआ
क्योंकि सारे कार्य यन्त्रों/उपकरणों से

सम्पन्न किए जाते हैं
कभी कभी तो बच्चे ही बदल दिए जाते हैं
इसलिए
इन मैटरनिटी होमों में
जन्मे बच्चों और माँ में
कभी भी स्वाभाविक प्रेम नहीं उमड़ता
इसीलिए शायद शहरी जीवन में बढ़ता जा रहा है
एकाकीपन और असमरसता
और हमारी प्रक्रिया के द्वारा
प्रसूता के पूरे
अस्थि-पंजर हो जाते हैं ढीले
जब गड्ढेदार सड़कों पर
हमारी खटारा लेती है हिचकोले
बड़ी असीम वेदना के साथ बच्चा जनमता है
इसीलिए
माँ और बच्चे के बीच
स्वाभाविक और सच्चा प्यार
हमेशा हमेशा के लिए
पगता है
पाठको!
अब आप ही फैसला करें स्वयम्
आपको कौन सा तरीका लगता है सुगम
अगर
माँ-बच्चे के बीच
प्यार का सागर उमड़वाना है
तो मैटाडोर वाले
खुले मैटरनिटी होम में जाइए
और नहीं तो
महानगरों के सुविधासम्पन्न
तथाकथित
मैटरनिटी होमों में दर्दी को भरती कराइए
बीस-तीस हजार का चूना लगवाइए
और
जबरदस्ती ऑपरेशन करवाइए।

अबकी बार—हिन्दी दिवस के उपहार

इस बार
हिन्दी दिवस के उपहार
आम लीक से
हटकर
कुछ इस प्रकार दिए गए श्रीमान्
कि प्रोत्साहन के रूप में
विजेताओं को
एक किलो बैंगन
सान्त्वना के रूप में
एक किलो टिंडोरे किए गए प्रदान
तृतीय पुरस्कारों में
दिया गया था आप्शन
विजेता—
पाँच किलो आलू या
पाँच किलो टमाटर दोनों में से किसी एक का कर लें
द्वितीय पुरस्कार के रूप में
दिया गया एक आकर्षक थैला
जिसमें भरे हुए थे पाँच किलो करेला
जब प्रथम पुरस्कार
किया गया प्रदान
तब चेहरे पर गुलाबी मुस्कान
चारों तरफ वाह वाह की आवाज
विजेता को
सप्रेम भेंट किया गया था
एक टोकरी प्याज

कोआर्डिनेटर्स को एक किलो भिण्डी
निर्णायकों को
एक एक हरे धनिए की गड्डी
साथ में सहजन की डण्डी
प्रारम्भ में
हाल में प्रवेश करते ही
एक बालिका ने
सभी आगन्तुकों को
एक एक हरी मिर्च
देकर किया स्वागत
अतिथियों को
पुदीने और पालक की पत्तियों से
बने बुके
किए गए हस्तगत
दर्शकों ने उस समय
खूब जोरदार तालियाँ बजाईं
जब मुख्य अतिथि महोदय
को सब्जियों से बनी
विशेष माला पहनाई
बीच में लटकाया था घीया
देखकर
मुख्य अतिथि महोदय का
रोमांचित हो उठा जीया
हाल में
पुरस्कार पाकर
विजेताओं के चेहरे खिल रहे थे
लेकिन कुछ दर्शक के जल रहे थे
मन ही मन पश्चात्ताप कर रहे थे
काश हमने भी भाग लिया होता
हमें भी ऐसा ही
ऐतिहासिक सम्मान मिलता
कम से कम आज की
सब्जी का काम तो चलता
तभी एक दर्शक ने

अपनी पत्नी को कौतूहल से देखा
क्यों री रेखा?
तू भी लिख देती एक छोटा सा लेख
हमें भी मिल जाते न टमाटर किलो एक
दूसरी तरफ एक महिला ने
अपने पति को खरी खोटी सुनाई
घर में तो हमें खूब परेशान करते हो
वहाँ कविता प्रतियोगिता में
एक भी क्षणिका नहीं सुनाई
एक सुना आते
कम से कम पाँच किलो आलू तो पा जाते
तभी एक महिला अपने पति पै गुर्राई
वैसे तो मायावती से लेकर
बिल क्लिंटन तक की चर्चा में
किसी का नम्बर नहीं आने देते
वाद विवाद प्रतियोगिता में रह गए फिसड्डी
जीत जाते तो
मिल न जाती पाँच किलो भिण्डी
एक पुरुष अपनी पत्नी से बोला
क्यों री रजनी
तेरे तो हिन्दी अधिकारी से
काफी अच्छे थे सम्बन्ध
लिख देती एक निबन्ध
निश्चित प्रथम पुरस्कार मिलता
पाँच किलो प्याज मिली पूरा महीना चलता
ये क्रिया प्रतिक्रियाएँ
चल रही थीं
कि संचालक के लिए ऐलान
अब विभाग प्रमुख महोदय
अतिथियों का करेंगे नागरिक सम्मान
अतिथि विशेष को एक हरे रंग के
पैकेट में जिमीकन्द
किया गया प्रदान
मुख्य अतिथि को

तालियों की गड़गड़ाहट के बीच
भेंट किया गया एक तरोताजा कटहल
अब अध्यक्ष महोदय का
नम्बर आया
विभाग प्रमुख ने नत मस्तक होकर
सप्रेम उन्हें एक काशीफल गहाया
अतिथि हैरान
इतने महँगे और दुर्लभ उपहार हमें किए गए हैं प्रदान
अपने उद्बोधनों में उन्होंने
इन स्मृति चिह्नों की भी की चर्चा
यह विभाग
हिन्दी के प्रति कितना गम्भीर है
हिन्दी पर भी
कितना करता है खर्चा
हम आपके आभारी हैं
आपने जो दिया सम्मान
कृपया अगले वर्ष भी
यदि स्थिति ऐसी ही रहे तो
हमें ही बुलाना श्रीमान्
और अन्त में
हिन्दी अधिकारी ने
हाथ जोड़कर
सबके प्रति प्रकट किया आभार
मित्रो
आपको हमारा
यह समसामयिक व
अभिनव प्रयोग कैसा लगा
अवगत कराएँ
और हिन्दी का भाव भी
रद्दी की तरह नहीं
सब्जियों की तरह शिखर पर पहुँचाएँ
हिन्दी दिवस की शुभकामनाएँ।
हिन्दी दिवस की शुभकामनाएँ।

ये डॉक्टर बड़े अलबेले हैं

एक दिन हम बैठे ठाले होले होले,
अपनी पत्नी से यूँ बोले,
न कोई विषय न कोई मसाला है,
किस पै कविता लिखें,
सब पर तो इन हास्य कवियों ने लिख डाला है,
इन्होंने सब छोटी बड़ी चीजों—साड़ी, सलवार, तोप, तलवार,
यहाँ तक कि इनसे बचा न खाट-खटोला है।
इन्होंने रंक से लेकर राजा तक को टटोला है।
पत्नी बोली—
आप तो कवि हैं।
मगर आपका एक अछूता विषय बताते हैं।
इन डॉक्टरों पर लिखिए—
वैसे तो बुद्धिजीवी बनते हैं,
पर जनता को खूब बेवकूफ बनाते हैं।
दुनिया बीमारी आने पर रोती है,
ये जश्न मनाते हैं।
हमने कहा बात तो बिलकुल सही है
कल्पना बिलकुल नई है
आपकी बात मानते हैं,
और इस क्षेत्र के विविध डॉक्टरों से मिल
एक इण्टरव्यू छापते हैं।
हमने लेखनी, कागज पैड सँभारे।

और एक आयुर्वेदिक वैद्य के दवाखाने पधारे।
जो मरीज का परीक्षण कम,
भाषण ज्यादा पिला रहे थे।
हर रोगी को गुलाबी फिटकरी में राख मिला,
शुद्ध शहद रूपी चासनी में चटा रहे थे।
उनके इस काम में,
उनकी पत्नी और बाल-बच्चे सभी हाथ बँटा रहे थे।
हमने कहा–वैद्य जी।
बैठे-बेठे चक्कर आते हैं, सर में दर्द रहता है,
कभी बुखार चढ़ता कभी उतरता है।
वैद्यजी ने नब्ज जकड़ी और बन्द की आँखें–
यही हाल रहा भाई मेरे तो तेरी,
सब खोखली हो जाएँगी पाँखें।
तुझे प्रमेह का विकार है जो शरीर और आत्मा दोनों को
कर देता बेकार है।
हमने कहा वैद्य जी–
आपकी बातों में दम नहीं लगता
बन्दा रेखागणित में बहुत हुशियार था।
अतः प्रमेह या निर्मेय होने का प्रश्न ही नहीं उठता।
वैद्यजी बोले–तुम मरीज हो या अधिवक्ता
आपका इलाज अपन नहीं कर सकता
हम हताश हो,
एक होम्योपैथिक डॉक्टर के औषधालय आए।
वहाँ कम्पाउण्डर-कम-डॉक्टर
दोनों का मिला-जुला रूप केवल एक ही व्यक्ति पाए
हमने उन्हें अपनी तकलीफ बताई
उन्होंने हमें एक पर्ची थमाई।
यह दवा तीन ड्राम ले लेना।
प्याज, लहसुन, इत्र, पान, सुपाड़ी,
बिन साबुन नहाना,

यहाँ तक कि पत्नी से भी बात करने में
एहतियाती कदम उठाना।
ठीक हो जाओगे।
वरना बेटा मर जाओगे।
हमने कहा—डॉक्टर साहब।
यह सब कुछ तो ठीक है सटीक।
पर मैं बहुत लाचार हूँ और बहुत मजबूर।
झोंपड़ी में रहता हूँ—
इन तीन ड्रामों को कहाँ रखूँगा हुजूर।
डॉक्टर बोला—रे सालिगराम।
यहाँ ड्राम का अर्थ है पोइण्ट फाइव मिलीग्राम
ड्राम ले राम का नाम ले।
अब हम एक एलोपैथिक डॉक्टर की क्लीनिक पहुँचे।
बाप रे बाप
वहाँ मरीजों की लाइन देखकर रह गए भौचक्के।
डॉक्टर देखने में,
बड़े भोले-भाले शरीफ ईमानदार थे,
एक मेडीकल कॉलिज में लेक्चरार थे।
डॉक्टर क्या पूरे विधाता थे।
केवल दवा लिखते थे,
क्योंकि काय परामर्शदाता थे।
एक परामर्श के एक बार में
केवल डेढ़ सौ रुपए लेते थे
इनकम टैक्स वालों को अपना
यह धन्धा धर्मार्थ बताते थे।
ब्लड, सीमन और यूरिन आदि के टेस्ट
अलग कराते थे।
हर आदमी का ई.सी.जी. करना तो
मामूली सी चीज थी।
उसकी भी अलग से 250 रुपए फीस थी।

हमने डॉक्टर वाला अपना विजिटिंग कार्ड
अटेण्डेण्ट के हाथ भिजवाया
डॉक्टर ने डॉक्टर समझ फौरन बुलवाया
अगर सही तरीके से मिला जाता,
तो अपन का नम्बर तो भाई साहब,
आधी रात पर आता।
डॉक्टर बोले—कहिए क्या बात है, क्या रोग है।
हमने कहा—डॉक्टर साहब,
हम तो रोगी हैं हमें क्या पता
अगर रोगी ही अपना रोग जान पाता,
तो आपके पास क्या झख मारने आता।
डॉक्टर ने स्टेथेस्कोप लगाया,
लम्बी-लम्बी साँसें चलवाईं,
आँखें फड़वाईं, जीभ बाहर निकलवाई,
और यूँ बताया—
कि आपकी शक्ल बताती है
कि आपको सुगर आती है
हमने कहा—डॉक्टर साहब बहुत अच्छा।
सुगर आती है तो आए।
कोई ऐसी दवा और बताओ
सुगर अपने साथ शाक-भाजी लाए।
हमारे घाटे का बजट ऊपर उठाए।
डॉक्टर बोला
जाइए-जाइए, मेरे मरीज मत बिगाड़िए।
बेशक मुझसे पचास रुपए उलटे और ले जाइए।
इसके बाद, हम एलोपैथिक की विभिन्न शाखाओं—
दाँत, कान, नाक, गला विशेषज्ञों से अलग-अलग मिले
हमें सभी नम्बर एक के ठग लगे।
एक कहता था,
मांस, मछली, अण्डे स्वास्थ्य के लिए बेहद हितकर हैं

तो दूसरा इन्हें हृदय रोग का खतरा बताता था।
तीसरे का आलम ही निराला था,
शराब को भी स्वास्थ्य का हितैषी जताता था।
कहाँ तक बताएँ–
एक ही रोग पर विभिन्न डॉक्टरों की
विभिन्न थी राएँ।
दाँतों वाला एक दाँत की जगह तीन निकालता था।
आँख और गले वाला आँखें निकाल,
गला दबाता था।
चर्म रोग विशेषज्ञ का नक्शा ही निराला था।
एक बार की विजिट में ही–
रोगी का निकाल देता दिवाला था।
अगर किसी रोगी ने भूल से
अपने को सरकारी मरीज बताया।
तो समझ लो उसकी आधी तनख्वाह का
हो गया सफाया।
सरकारी अस्पताल का हाल बेहाल था।
मरीज असंख्य थे मगर डॉक्टरों का अकाल था।
डॉक्टर–दवाई के नाम पर केवल एनासिन और बी कमप्लेक्स
की गोली थमाते थे।
बाद बाकी दवाइयाँ रोगी से ही मँगाते थे।
अस्पताल की दवाइयों को पास के एक
केमिस्ट के घर पहुँचाते थे।
इसके बाद हम,
एक आर एम पी डॉक्टर के यहाँ आए।
उनके यहाँ बी बी एस डॉक्टरों से भी
ज्यादा मरीज पाए।
डॉक्टर साहब–हर रोग में, हर मरीज का
डिस्टिल्ड वाटर का इंजेक्शन लगा रहे थे।
हर माल की तरह, हर रोगी से केवल

20 रुपए झाड़ रहे थे।
और अन्त में, हम एक पीएच डी धारी
डॉक्टर के घर पधारे—
हमने कहा—डॉक्टर साहब,
हमेशा सिर दर्द रहता है
बुखार चढ़ता उतरता है
डॉक्टर साहब बोले—
सिरदर्द में मारो गोली
पहले तशरीफ लाइए जनाब
फिर पत्नी से कहा
गर्मागर्म चाय पिलवाओ
साथ में मैथी के पकौड़े भी खिलवाओ
और आप तब तक मेरी नई कविता सुनें श्रीमान्
हमने कहा : हे भगवान्
उन्होंने कविता सुनाई
इतने में भौजी
चाय व पकौड़े तल लाई
सच मानिए भाई साहब
उनकी आत्मीयता से
हमारा सिर दर्द उड़न छू हो गया
उनका व्यवहार हृदय को छू गया
असली डॉक्टर हैं तो ये ही
जो अपने ढंग से
हिन्दी की और राष्ट्र की सेवा कर रहे हैं
और ये सुई इंजेक्शन वाले डॉक्टर
सेवा के नाम पर
पैसे पै पैसा जमा करने का जुगाड़ कर रहे हैं
मेरे देश की भोली-भाली और
अशिक्षित-जनता के स्वास्थ्य के साथ
खूब खिलवाड़ कर रहे हैं।

शोकेस सजाना है

कल एक महिला सब्जी मण्डी जाकर
सब्जी वाले से बोली—भैया—
एक करेला, एक भिण्डी
एक टमाटर, एक आलू
और दे दो एक पालक की पत्ती
सब्जी वाला बोला—ऐं—
क्या कह रही हो रामरत्ती
एक एक नग में से
क्या खाओगी
क्या पकाओगी
महिला बोली :
आज की इस महँगाई में
किसको पकाना
किसको खिलाना है
अरे हमें तो—
केवल 'शोकेस' सजाना है
ताकि आगे आने वाली पीढ़ी को
सप्रमाण बता सकें—मियाँ
कि हम भी खाते थे सब्जियाँ

तुम्हें चाय पे बुलाया है

हमारी भारतीय फिल्मों की भले ही सारी चीजें काल्पनिक हों, मगर गीत काल्पनिक नहीं हो सकते, वे बिलकुल वास्तविकता लिए हुए होते हैं, उदाहरण के लिए प्रस्तुत है फिल्म 'अमीर-गरीब' के गीत का यह मुखड़ा—

अरे। बैठ जा, बैठ गई!
उठ जा, उठ गई!
भाग जा, भाग गई!
वापस आजा, आ गई राजा!
आ गई राजा, आ गई!

देखा आपने, इस गीत में कल्पना कहाँ है? सब असली है। जहाँ तक विषयवस्तु की बात है, वहाँ तो यथार्थता का प्रश्न ही नहीं उठता है। 'जहाँ न पहुँचे रवि, वहाँ पहुँचे कवि' की उक्ति का सहारा लेकर कवि कहीं भी उड़ सकता है और कल्पना 'मेघदूत' की तरह कहीं भी रुक कर चाय का प्याला भी पी सकती है। प्रस्तुत है चाय का प्याला—

मेरी शादी का ख्याल उनके दिल में समाया है,
इसीलिए मम्मी ने मेरी तुम्हें चाय पे बुलाया है।

"वरना कभी न बुलातीं!" कितनी अच्छी कल्पना है, कवि को दाद देनी ही पड़ेगी कि चाय के माध्यम से बेचारी लड़की का क्वार-पत्र उतरवा ही दिया।

अब आइए फिल्मी गीत और अश्लीलता के साथ वास्तविकता के लोक में चलें। इन दोनों का चोली और दामन का साथ है। ये दोनों आपस में एक-दूसरे के बहुत बड़े पूरक हैं। एक के बिना दूसरा जिन्दा नहीं रह सकता, क्योंकि—

"एक आँख मारूँ तो रास्ता रुक जाए,
दूजी मारूँ तो जमाना झुक जाए!

दोनों आँख मारूँ तो छोरा पट जाए!''

अब इस भली मानुष से कहिए कि अगर यह अपनी एक आँख पंजाब की तरफ मार दे तो भला इसका क्या घट जाएगा? अरे देश का कल्याण हो जाएगा।

खैर, यहाँ तक तो कोई बात नहीं है, मगर अल्बर्ट पिंटो को उस समय कुछ गुस्सा ज्यादा आने लगता है जब उसकी सात वर्षीय लड़की गाती है--

मैंने किसी को फाँसा
तुमने किसी को फाँसा,
तमाशा है तमाशा!
रेशमा जवान हो गई,
कमर तीर कमान हो गई!

यह रही अश्लीलता की महत्ता। अब हम आते हैं फिल्मी गीतों के असली तत्त्व 'तुक बन्दी' पर। काव्य-शास्त्र में तुक को काव्य का एक महत्त्वपूर्ण तत्त्व बताया गया है। बिना तुक वाली कविताएँ कविता तो होती हैं मगर स्मरणीय नहीं बन पातीं। यह तो ठीक है, मगर तुक भी साभिप्राय हो तो ही अच्छी लगती है, अन्यथा फटे कपड़े पर लगी 'थिगली' जैसी दिखाई पड़ती है, और हमें तो फिल्मी गीतों में बिलकुल उलटा ही दिखाई पड़ता है कि वहाँ तो थिगलियों के बीच में कभी-कभार कपड़ा दिखाई पड़ता है अन्यथा थिगली ही थिगली दिखाई देती है। उदाहरणार्थ--

''न तुम यार आलू न हम यार गोभी,
तुम भी यार धोबी हम भी यार धोबी''

बताइए कि इस गीत में पहली लाइन का तारतम्य भला दूसरी से किस आधार पर लगता है? आलू और गोभी की बात अलग है, धोबी की बात अलग है, इसे देख कर आम आदमी कह सकता है कि सिर्फ धोबी की तुक को मिलाने के लिए ऊपर की पंक्ति को निरर्थक गढ़ा गया है। और भी देखिए--

''चुंदरी बँध जाए तेरी मेरे रूमाल से,
रस्ता रुक जाए तेरी मस्तानी चाल से।''

यह मात्र 'चाल' की तुक रूमाल से मिलाई गई है। ऐसे एक या दो उदाहरण नहीं फिल्मों के अधिकांश गीत बेतुकी तुकों से ओत-प्रोत हैं।

देखिए--

कोई करम नहीं है ज्यादा,

जब किया इरादा पक्का
कि मैं आदमी हूँ सड़क का।

इसके बाद की तुकें क्रमशः इस प्रकार हैं--

ताँगा हो या एक्का,
मदीना हो या मक्का।

यानी कि मात्र 'तुक्का' लगाने के गीतकार के पास और कुछ देने को है ही नहीं।

इस प्रकार हम देखते हैं कि फिल्मी गीतों का स्तर दिन-प्रतिदिन गिरता जा रहा है। जीवन्तता खत्म होती जा रही है। अश्लीलता और तुकबन्दी बढ़ती जा रही है। अगर फिल्मी गीतकार इसी प्रकार के गीत लिखते रहे तो निश्चित ही वे गीत की परिभाषा को बदल देंगे, और रीति की परिपाटी डाल देंगे जो देश और देशवासियों को केवल मानसिक दृष्टि से ही नहीं, अपितु शारीरिक दृष्टि से भी विकलांग बनाएगा।

मक्खनबाजी के दस लेटेस्ट नुस्खे

मक्खनबाजी का उद्‌गम मक्खन के साथ हुआ है और मक्खन आप जानते ही हैं कि बड़े ही मन्थन के बाद निकलता है। संस्कृत में इसे नवनीत कहते हैं। मूल में है स्निग्धता। अतः कई जगह मक्खन लगाने के स्थान पर तेल लगाना भी कहते हैं और कई भाई मेरे तो केवल लगाना ही कहते हैं। खैर हर आदमी मक्खन प्रेमी है। मक्खन प्रेमी है तो मक्खनबाज भी और मखानी भी है। मखानी से तात्पर्य जिसके मक्खन लगाया जाता है, मखानी दाल का अर्थ मक्खनवाली दाल से अभिप्रेत है। जब इसका सम्बन्ध बॉस से हो तो फिर बात ही अलग हे। प्रत्येक आदमी मक्खनबाजी यानी कि चमचागीरी चाहता है। बॉसगीरी चाहता है। मैं किसी का बॉस हूँ तो मैं अपने अधीनस्थों से चमचागीरी चाहता हूँ। मेरा कोई बॉस है तो वह मुझसे चमचागीरी चाहता है। यह कथा हरिकथा की तरह अनंता है।

हम आपको यहाँ कुछ नए दस नुस्खों से अवगत करा रहे हैं। यूँ आप इनमें कुछ मिलावट कर के अपनी सुविधानुसार कुछ और नए नुस्खे भी तैयार कर सकते हैं। हमारा मानना है कि ये नुस्खे आपको आपके कार्यालयीन भवसागर से तो तारेंगे ही आपके हाजमे के लिए भी स्वास्थ्य कर रहेंगे तो प्रस्तुत हैं–दस नुस्खे।

नुस्खा नं. 1 : महा बुद्धू बन जाइए

माना कि आप बहुत ही क्वालीफाइड हैं इंटैलेक्चुअल हैं लेकिन सरकारी नौकरी में इनकी जरूरत ही नहीं है। कार्य ग्रहण करने वाले दिन ही आप अपनी सभी उपाधियों, डिग्रियों, प्रमाणपत्रों को खूँटी पर उतारकर टाँग दीजिए अन्यथा जिन्दगी भर कुण्ठित रहोगे। अब आप नितान्त बुद्धू बन जाइए। जिन्दगी भर सुखी रहोगे।

नुस्खा नं. 2 : महा झेलू बनिए

आपकी खाल यदि पतली है तो मोटी मान लीजिए क्योंकि आपको डाँट-फटकार

पड़ेगी ही। आपको न केवल बॉस की बल्कि बॉस की बीवी की भी फटकार सुननी पड़ेगी। हो सकता है बच्चे भी डाँटें। आप मानसिक रूप से तैयार रहें। महा झेलू बनने से आप हमेशा तनावमुक्त रहेंगे।

नुस्खा नं. 3 : महा चुगलखोर बनिए

हर बॉस कान का कच्चा होता है। उसकी हमेशा तारीफ करते रहिए भले ही वह महाबुद्धू है, नकारात्मक है लेकिन आप उसे बहुआयामी प्रतिभा का धनी, पोजीटिव एप्रोच का प्रवक्ता बताते रहिए। ऑफिस के कर्मचारियों की झूठी-सच्ची, नमक-मिर्च लगाकर रिपोर्ट देते रहिए। बॉस का प्रिय आपका प्रिय, बॉस का दुश्मन आपका दुश्मन यानी कि आप अपनी बुद्धि को, सोच को बिलकुल कष्ट मत दीजिए। आपको कुछ सोचना ही नहीं है। आप तो वाहक हैं, सेतु हैं।

नुस्खा नं. 4 : उपहार देते रहिए

बॉस को गाहे-बगाहे उपहार देते रहिए, यदि व्यक्तिगत कार्य से आप किसी नगर में गए हैं तो वहाँ की प्रसिद्ध चीज लाना मत भूलिए। भले ही उस चीज को आप अपनी तैनाती वाले नगर से ही पैक कराके ले आइए। भले ही वे चीजें जूते या चूड़ियाँ क्यों न हों? पर लाइए जरूर। यदि आप व्यक्तिगत कार्य से गए हैं तो अगली बार सरकारी टूर मिल जाएगा और यदि टूर पर गए हैं, तो फिर आपको टूर पर टूर मिलते ही रहेंगे और फिर आपको यह खर्च अपनी जेब से थोड़े करना है। लोकल कन्वेंस में दिखा सकते हैं।

नुस्खा नं. 5 : फोटो छापना मत भूलिए

यदि आप किसी पत्रिका के सम्पादक हैं तो अपने बॉस का फोटो छापना मत भूलिए। भले ही पत्रिका में बॉस के पचास फोटो हो जाएँ और पत्रिका बॉस की अलबम लगे। बॉस की तरफ से खुद आर्टीकल लिख मारिए क्योंकि, बॉस होने पर तो वह आदमी साहित्यकार, पत्रकार, कलाकार, सब कुछ हो जाता है।

नुस्खा नं. 6 : शुभकामनाएँ देना मत भूलिए

हर छोटे-बड़े अवसरों पर बॉस को शुभकामनाएँ देना मत भूलिए। भले ही आपको अपने बच्चों की जन्म तारीखें याद न रहें, लेकिन बॉस के पूरे परिवार की ये तिथियाँ रट लीजिए। नए वर्ष पर कैलेण्डर व डायरियाँ खरीदकर दे दीजिए।

नुस्खा नं. 7 : शादी-ब्याह में काम जरूर करवाइए

भले ही आप अपने भाई-बहनों की शादी में फलों के दो टूक नहीं करते हों, लेकिन बॉस के परिवार में यदि कोई शादी-ब्याह हो तो उसमें आप बिलकुल तन, मन और धन से जुट जाइए। बॉस के घर के काम, आरक्षण, सब्जी-वब्जी लाना, बिल आदि जमा करवाना जरूर निपटाइए।

नुस्खा नं. 8 : मुख्य अतिथि बनवाइए

आप हमेशा इस फिराक में रहिए कि आप अपने बॉस को कहाँ-कहाँ सम्मान दिलवा सकते हैं। आप मौके की तलाश में रहिए। मौका मिलते ही आप अपने बॉस को मुख्य अतिथि, अतिथि विशेष या अध्यक्ष बनवा डालिए। भाषण आप लिखकर दे दीजिए।

नुस्खा नं. 9 : बॉस के बच्चों को पुरस्कार जरूर दिलवाइए

बाई द वे आप कुछ कार्यक्रमों के संयोजक हैं या निर्णायक हैं, तो अपने बॉस का, बॉस के बाल बच्चों का ध्यान जरूर रखिए भले ही वे प्रतियोगिताओं में कहीं भी न टिकते हों, मगर टिकाइए। पहला नहीं तो दूसरा नहीं तो तीसरा ही स्थान दिलवाइए जरूर।

नुस्खा नं. 10 : पूर्णांग अर्थात सपरिवार मक्खनबाजी कीजिए

हमारा आशय है सांग रूपक से अर्थात आप ही नहीं अपने पूरे परिवार को बॉस के पूरे परिवार का पुस्तैनी मक्खनबाज घोषित कर दीजिए। आपकी श्रीमती बॉस की श्रीमती की मक्खनबाज, आपके बच्चे, बॉस के बच्चों के मक्खनबाज और आप स्वयं बॉस के मक्खनबाज हैं ही, इस प्रकार आप पूर्णांग यानी सांग रुपिया मक्खनबाज बन जाएँगे और भवसागर को तर जाएँगे। हमारे उक्त सभी नुस्खों को अपनाइए। सुबह-शाम नीचे लिखी आरती उतारिए, मनचाही तैनाती और पदोन्नति पाइए--

ओउम् जय बॉस हरे।
स्वामी जय बॉस हरे।।
चमचाओं के संकट, क्षण में दूर करे
ओउम् जय···

तुम मेरी जीवन शक्ति हो, तुम मेरी रोटी।
तुम बिन कौन दिलावै मोकू, रोजाना ओ.टी.।।
ओउम्···

तुम मेरे जीवनदाता हो तुम को नमन करूँ।
मात-पिता को गाली देता, तुम्हरे चरन परूँ।।

ओउम्···

कृपा तुम्हारी मिले प्रमोशन, बाईपास करे।
क्वालीफाइड रहें टापते, नैनन नीरझरे।।

ओउम्···

जो तुम्हारी यह आरति, नित प्रति उठि गावै।
बिन योग्यता, कामधाम बिन, पदोन्नति पावै।

ओउम्···

रंग-बिरंगी हिन्दी

जी हाँ, हिन्दी एक विशाल भूभाग की भाषा है। जहाँ, जिस मिट्टी में यह जाती है, उसमें घुल-मिल जाती है, वहीं की बन के रह जाती है। जिस आदमी के साथ रमती है, रमती ही चली जाती है। इसका उच्चारण पानी की तरह कोस-कोस पर बदलता रहता है, यही कारण है कि इसमें जो माधुर्य है, रसीलापन है, लचीलापन है, वह किसी अन्य भाषा में नहीं। हैदराबाद जाइए तो हैदराबादी हिन्दी 'कहा जाएँगा' सुनने को मिलेगी, तो मुम्बई में मुम्बइया हिन्दी 'काहे का लफड़ा मारता' सुनाई पड़ेगा।

शिलांग में शिलांगी हिन्दी **'सकेगा'** शब्द से ही पूरे वाक्य का काम चलाते हुए पाएगी, अहिन्दी क्षेत्रों में ही नहीं हिन्दी क्षेत्रों में भी एक ही शब्द के विभिन्न उच्चारण आपको सुनने को मिल जाएँगे। स्टेशन को ब्रज वाले इस्टेशन, पंजाब में सटेशन, बिहार में अस्टेशन और गुजरात में टेशन कहते हैं। खड़ी बोली में तो हर ध्वनि को डबल बोलने की परम्परा है 'अरे बाप्पू रोट्टी खाल्ले', बिना इसके रोटी में मजा ही नहीं आएगा।

अब देखिए न मेरे ही नाम को ले लीजिए, मेरे नाम का उच्चारण शायद ही कोई भली-भाँति कर पाता हो। मेरे ब्रजांचल में मुझे मृगेश नाम से पुकारते हैं, तो गुजरात, महाराष्ट्र में मुझे मुर्गेश कहते हैं। मुर्गेश का अर्थ होता है मुर्गों का राजा जबकि मृगेश का अर्थ होता है शेर। खैर यहाँ तक तो कोई बात नहीं। मृगेश या मुर्गेश दोनों जानवर ही हैं। मुझे हँसी तब आती है, जब पंजाब के भाई मुझे मरगेश कहते हैं। भाषा ध्वनि प्रतीकों की इच्छानुरूप व्यवस्था है, अतः एक ही ध्वनि समूहों का एक गुच्छ एक जगह कोई और अर्थ देता है तो दूसरी जगह कुछ और। राजीनामा को ही ले लीजिए। हिन्दी प्रान्तों में इसका अर्थ अनुबन्ध से है, सम्बन्ध जुड़ने से यानी कि सहमति से है, जबकि गुजरात और महाराष्ट्र में सम्बन्ध विच्छेद यानी कि हमारे यहाँ सम्बन्ध शुरू हुए यहाँ खत्म हो रहे हैं। मोटा-मोटी शब्द को ही ले लीजिए, हमारे साथ इस शब्द ने तकरार ही करवा दी। साड़ी वाला पत्नी को साड़ी दिखाते हुए बोला, मोटी बेन, आपको यह साड़ी सरस लागै छे।

इतना सुन पत्नी की त्यौरियाँ चढ़ गईं। हमने असलियत को भाँपकर पत्नी को कहा—देवयानी गुजरात में मोटी का अर्थ मोटी नहीं होता है। तो फिर क्या होता है? स्मार्ट, ब्यूटीफुल। बोली—अच्छा तो भाई साहब दो साड़ी दे दीजिए। हमने कहा—अच्छी मुसीबत

गले लगा ली। मैंने कहा नहीं, हम इस दुकान से तुम्हें दो क्या एक भी नहीं दिलवाएँगे क्योंकि इसका साइन बोर्ड द्विभाषिक नहीं है।

हमने कुछ दिन पहले एक बोर्ड बनवाया। 'ग्रीन बैल्ट' का पेण्टर को हमने लिख कर दिया 'हरित पट्टी'। गुजरात में ह्रस्व को दीर्घ और दीर्घ को ह्रस्व लिखने की बीमारी है। सूरज को सुरज, रिफाइनरी को रिफाईनरी, टाउनशिप को टाऊनशीप। हम बार-बार वर्तनी को सही करते हैं लेकिन पेण्टर समझते हैं कि शायद हमने ही गलत लिख कर दे दिया है, वे उसे फिर ज्यों का त्यों कर देते हैं। परिणामतः हरित पट्टी की जगह हरीत पट्टी कर दिया। निरीक्षण समिति ने जब उस मुद्दे को उठाया तो हमारे प्रमुख महोदय ने बड़ी ही शालीनता के साथ कहा—साहब, हम अपने यहाँ ज्यादा हरियाली करना चाहते हैं, इसीलिए हरीत लिख दिया। शायद! हमें लगता है चौराहों पर ठहरिए की जगह भी 'ठहरीए' इसलिए लिखवाया जाता है कि वाहन चालक पर स्ट्रैस पड़े। हमने अस्पताल के प्रवेश व बाहर के द्वारों पर पेण्टर को लिखने के लिए कहा। 'प्रवेश' तो ठीक लिख दिया लेकिन बाहर की जगह 'बहार' लिख डाला। मुख्य चिकित्सा अधिकारी महोदय ने हमें बुलाकर कहा, देखो क्या लिख दिया है। 'बहार' हमने कहा ठीक ही तो है बहार अंदर कहाँ है बहार तो बाहर ही होगी। एम. फिल. की कक्षा में पहले ही दिन मेरे हरियाणवी मित्र मुझसे बोले—रे माणिक तू कौन से स्कूल में पढ़या। मैंने कहा—तू जिसमें पढ़या मैं भी उसमें पढ़या। दोस्ती हो गई। वह बन्दा पीएच.डी. कर गया, लेकिन गरीब को हमेशा ग्रीब बोलता रहा। यही हमारे बिहार के भाइयों की बात है। वे स्पष्ट, स्थान, स्तर को क्रमशः अस्पष्ट, अस्थान व अस्तर ही बोलते हैं। यू.पी. वाले इस्पष्ट, इस्थान, व इस्तर ही बोलते हैं। बिहार और बंगाल में व को भ, जैसे विक्ट्री को भिक्ट्री उच्चारित करते हैं। यही कारण है कि स्वर्गीय श्री शरद जोशी जी पटना जाकर नरभसा (नर्वस) हो गए थे। पूर्वी उत्तर प्रदेश के भाषा विज्ञान के डॉक्टर भी बढ़िया को बढ़ियां और हाथ को हांथ बोलते हैं। हमारे गुजरात के लोग सँक्षिप्त करने में बड़े माहिर हैं। वे स्टेशन को टेशन बोलते हैं। अहमदाबाद को अमदाबाद, हेअर को हैर, केअर को कैर बोलते हैं। यहाँ तक तो ठीक है लेकिन हमें उस दिन बड़ा अटपटा लगा जबकि एक प्राचार्य मल्टीपरपज हॉल को मल्टीपरपज होल लिखने लगे। यू.पी. वाले व और ब में फर्क नहीं कर पाते हैं। यूँ तो जितने मुँह उतनी वर्तनी वाली बात है, लेकिन कभी-कभी बड़ा मजा भी आता है ऐसी वर्तनी सुनने पर। दूल्हा शब्द को ही ले लीजिए। यह संस्कृत के दुर्लभ से निकला है, जिसका अर्थ होता है जो बड़ी मुश्किल से मिले तो ठीक ही है। दूल्हा पहले भी बड़ी मुश्किल से मिलता था। आज भी मुश्किल से ही मिलता है। एक कवयित्री हैं जिनका नाम है सुषमा। काफी अरसे बाद जब हम मिले तो उनकी गोद में बालिका देखकर अनायास निकल पड़ा कहिए शिशुमा जी कैसी हैं? बोली मेरा नाम सुषमा है। हमने कहा, "था, है नहीं, अब तो आप एक शिशु की माँ हैं। इसलिए शिशुमा ज्यादा जमता है।" एक दिन हिन्दी कार्यशाला में फारसी से आई ध्वनियों के बारे में बता रहे थे। किसी ने पूछा ग और ग़ का अन्तर बताइए, हमने दो

शब्द दिए एक बेग़म बिना गम के, दूसरा बेग़म (अर्धांगिनी)। हमने कहा बेगम वही है जिसे कोई ग़म नहीं है।

अन्त में लेख का उपसंहार करते हैं। उपसंहार ऐसा लगता है जैसे किसी का शृंगार किया जा रहा हो जबकि इसका अर्थ समापन करने से है यानी कि उप (समीप) संहार (मारना)/पास से मारना/खत्म करना।

बात ऐसे हुई कि हम पिछले दिनों में अण्डमान निकोबार के भ्रमण पर गए। मद्रास में हमारे सम्मान में एक कवि गोष्ठी आयोजित की गई। वहाँ सभी ने अपना परिचय दिया। दक्षिण में बहुधा त को थ बोला जाता है। खासकर तमिल में वे लोग हिंदुस्तान को हिंदुस्थान बोलते हैं। आपस में कवयित्रियों का परिचय हुआ। जब अंतिम कवयित्री जिनकी उम्र 40 वर्ष थी उनसे हमने उनका नाम पूछा तो बोली 'मालथी'। हमने कहा—मैडम मालथी नहीं, शायद नाम मालती (पुष्प) होना चाहिए। वे बोलीं क्या मतलब। हमने कहा मतलब बिलकुल साफ है मालथी (माल + थी) भूतकाल है मालती वर्तमान। अब आप ही निर्णय कीजिए कि आप भूतकाल हैं या वर्तमान। यानी कि मालती या मालथी। वह बोली आप ठीक कहते हैं श्रीमान मेरा नाम मालती ही है।

सो हम देखते हैं कि सचमुच में हमारी हिन्दी सोने की तरह चमकती है, चन्दन सी महकती है। मलयानिल-सी बहती है, खाती-पीती है। चंगी है। सचमुच में हिन्दी रंग-बिरंगी है।

कोई नृप होय हमें ही हानी

रामचरितमानस में गोस्वामी तुलसीदास ने मन्थरा के मुख से एक चौपाई कहलवाई है—

> चेरी छांडि न होयहिं रानी।
> कोई नृप होय हमें का हानी।।

अर्थात् राजा राम हों या भरत हों, हमें कोई हानि-लाभ नहीं है। क्योंकि मुझे तो दासी ही रहना है। मैं भला रानी तो हो नहीं सकती हूँ। अतः कोई नृप होय हमें का हानि।

उस समय की परिस्थिति के अनुकूल यह कहावत बिलकुल ठीक थी। राजा हर हालत में अपनी प्रजा को खुश रखना चाहता था। हर सुख-दुख में वह उनके साथ रहता था। उसकी प्रजा उसकी सन्तानों जैसी होती थी। आपको शायद परम प्रतापी राजा विक्रमादित्य की यह कहानी मालूम होगी कि राजा विक्रमादित्य अपने नगरवासियों की असली हालत जानने के लिए वेष बदलकर आधी रात को घूमा करता था। एक दिन वह आधी रात के करीब अपने नगर में वेष बदलकर घूम रहा था। तभी वह एक बुढ़िया के रोने की आवाज सुनता है। वह उस बुढ़िया के पास जाता है। उससे रोने का कारण पूछता है। बुढ़िया कहती है कि मैं इसलिए रो रही हूँ कि हमारा जो राजा है न विक्रमादित्य बड़ा परोपकारी, प्रजा का ध्यान रखने वाला, बड़ा नेकनीयती आदमी है। लेकिन कल रात के बारह बजे एक पुराने शाप के परिणामस्वरूप एक सर्प उसे डस लेगा और वह मर जाएगा। मैं इस पीड़ा को जानकर रो रही हूँ। इतना सुन राजा हक्का-बक्का रह गया और बुढ़िया से बोला, माँ! क्या राजा के बचने का कोई तरीका है। बुढ़िया बोली, हाँ बेटा, एक तरीका है कि राजा अपने महल के चारों ओर चन्दन की सुगन्ध वाली अगरबत्तियाँ, जगह-जगह पर दूध के कटोरे रखवा दे तो बच सकता है क्योंकि जब सर्प आएगा तो वह चन्दन की सुगन्ध में मस्त हो जाएगा और जब वह कटोरों में रखा दूध पी लेगा तो फिर राजा को नहीं काटेगा क्योंकि उसने राजा का दूध पी लिया है और सर्प दूध पीने के बाद किसी के साथ दगा नहीं करता। वह राजा के पलंग तक जाएगा और राजा को चाहिए कि वह अपना हाथ कटवाने के लिए सर्प के आगे कर दे, लेकिन सर्प नहीं काटेगा।

राजा ने दूसरे दिन सारी व्यवस्था की जोकि बुढ़िया ने बताई थी। सर्प आया और कटोरों का दूध पिया। राजा के पलंग तक गया। राजा ने अपना हाथ कटवाने के लिए आगे बढ़ाया, लेकिन सर्प ने मनाही करते हुए केवल अपना फन हिलाया और वापस हो गया। राजा ने दूसरे दिन पूरी प्रजा के साथ उत्सव मनाया और बुढ़िया को सम्मानित करते हुए 'राजमाता' का दर्जा दिया।

मित्रो यह कहानी राजा-प्रजा के सम्बन्धों पर प्रकाश डालती है। लेकिन आज परिस्थितियाँ बिलकुल उलट गई हैं। न तो पहले जैसे राजा हैं और न प्रजा। हालाँकि प्रजा तो प्रजा होती है और राजा को राजा होना चाहिए। मगर आज के राजा ने अपना राजधर्म छोड़ दिया है। वह सत्ता, कुर्सी का इतना सुविधाभोगी हो गया है कि कुर्सी पर बैठते ही बिलकुल भूल जाता है कि उसका विक्रमादित्य की तरह वेष बदलकर घूमना तो दूर उसके पास अपने क्षेत्र के लोगों की फरियादें सुनने का समय नहीं है। हाँ वेष बदलने में वह जरूर माहिर है। इसके चेहरे में न जाने कितने चेहरे समाहित होते हैं। प्रजा भी बुढ़िया की तरह कहाँ रही है। जब हमारा ही दाम खोटा है तो हम परखने वाले को दोष कैसे दे सकते हैं। आप जानते हैं कि हमने पिछले इलेक्शन में एक सुशिक्षित शिक्षक की जमानत जब्त करा दी थी और हमने अपने इलाके के एक हिस्ट्रीशीटर को तन, मन व वेतन से सहयोग देकर मन्त्री बनवाया था क्योंकि हम जानते थे कि यह सीधा-सादा निष्कपट गांधीवादी शिक्षक क्या हमें परमिट, कोटा, ठेका दिला पाएगा। इसलिए हमने जान-बूझकर उसे नहीं चुनवाया। अब हम उसे कोसते हैं यानी कि चोर चोर मौसेरे भाई। हम जाने-अनजाने सारा दोष नेताओं के मत्थे मढ़ देते हैं। नेता न होकर बेचारा विधवा का जमाई हो गया। पूरा गाँव ताने मारता है भई उस नेता को भी तो हमने ही चुना। क्या विदेशियों ने मतदान किया था उसके पक्ष में? अतः इस सब के लिए हम सभी दोषी हैं, मात्र नेता नहीं।

हमारी सबकी मानसिकता साम्प्रदायिकतावादी रही है। हम जब तक किसी सम्प्रदाय/दल/गुट से नहीं जुड़े तो हम अपने को असहाय अकेला मानते हैं। अतः हम जानते हुए भी कि कोई किसी का इस दुनिया में सगा नहीं है। हम समाजों में, सम्प्रदायों में, धर्मों में बँट जाते हैं। हालाँकि आदमी जब पैदा होता है, नग्न होता है और उसके शरीर पर किसी भी धर्म, जाति या सम्प्रदाय का ठप्पा नहीं होता। जैसे ही वह इस सांसारिक धरती पर कदम रखता है, ये सामाजिक उसे धर्म, जाति, प्रान्त के अमिट रंग से रँग देते हैं और वह बेचारा यह सब न चाहते हुए भी जीवनपर्यन्त इन सभी पचड़ों के मोह पाश में फँसा रहता है। आज बहुत सारे लोगबाग ऐसे हैं जो निर्जाति, निधर्म, निःसम्प्रदाय रहना चाहते हैं (धर्म से तात्पर्य यह धर्म के बाहरी आवरण—हिन्दू, मुस्लिम आदि से है वास्तविक धर्म तो आन्तरिक होता है, जो व्याख्या नहीं है) मगर फिर भी उनको समाज में महत्ता नहीं मिलती। उनके बच्चों की सगाई नहीं होती। अतः मरता क्या न करता, उसे इन बाहरी सोपानों से

जुड़ना पड़ता है। तो हम कह रहे थे कि प्रत्येक व्यक्ति धर्म और जाति की तरह किसी न किसी राजनीतिक दल से भी जुड़ाव रखता है। भले ही हम नौकरी के उपबन्धों के चलते खुलेआम इस बात को स्वीकार करते हों या नहीं। मगर हमारा सबका किसी न किसी राजनीतिक दल के साथ झुकाव जरूर रहता है। अगर हमारा झुकाव विपक्ष की ओर हुआ तो हम सत्तासीन लोगों को गरियाते रहते हैं और सत्तापक्ष की ओर हुआ तो उसकी तारीफ के पुल बाँधते रहते हैं।

हम यह भूल जाते हैं कि ये सभी एक ही थैली के चट्टे-बट्टे हैं। इन सबकी एक ही जाति है। राजा जाति के ये सभी राजा हैं। दल इनका कोई भी हो। ये सभी एक दूसरे का खयाल रखते हैं बेवकूफ तो हम हैं कि हम इनके चक्कर में लड़ा करते हैं। सत्ता में कोई दल आए लेकिन गाज जनता पर पड़ती है और हानि अन्ततः प्रजा की ही होती है और यदि तुलसीदास आज होते वह निश्चित ही इस चौपाई को उलट कर लिखते--

चेरी छाँडि हुइ रहीं रानी।
कोई नृप होया हमें ही हानी।

बेचारा नेता

मैना बोली, हे तोते आज मैं तुझे एक ऐसे जीव की दास्तान सुना रही हूँ, जो बेचारा दिन में ख्वामख्वाह हजार बार कोसा जाता है। हर बात में व्यर्थ ही घसीटा जाता है। बाबू से लेकर अफसर तक घर से दफ्तर तक भू से अंबर तक, जितनी भी घटनाएँ एवं दैवी विपदाएँ घटित होती हैं सभी उसी के मत्थे मढ़ दी जाती हैं। उस बेचारे की माँ धन्य है, जिसने ऐसे सपूत को जन्म दिया है, जोकि दिन-रात लोगों की गाली खा-खा करके भी सुरसा की तरह दिन-रात चौगुना बढ़ता जा रहा है। वह तो ऐसा चिकना होता है, तोते कि उस पर कोई चीज टिकती ही नहीं है उनके सारे जादू-टोने उस पर फेल हो जाते हैं ऐसा सुपाच्य है कि दुनिया की सभी चीजों को चट में हजम कर जाता है। ऐसा सुसंग्रहक है कि दुनिया की दुर्लभ से दुर्लभ वस्तुओं का संग्रहण कर लेता है। ऐसा सुपात्र है कि बेचारा बिना पढ़ा-लिखा होके भी देश के बड़े से बड़े पद पर सुशोभित हो सकता है। खैर, यह तो कोई बात नहीं है तोते कि बुद्धि केवल डिग्रियों से ही आती हो। हमारे यहाँ देश में रोजाना साहित्य के डॉक्टर जन्मते हैं। मगर वे अनपढ़ कबीर की क्लीनिक में कम्पाउण्डर का काम भी नहीं कर सकते।

इतना सुन तोता बोला, हे मैना तू यह बकती ही रहेगी या उस महाजन्तु का नाम भी बताएगी। मैना बोली, हे तोते अगर तू सुनना ही चाहता है, उस भीमकाय जन्तु का नाम तो सुन, वह है राँड का जमाई, बेचारा नेता।

मैना, मैं ना समझूँगा तेरी इन उलटबाँसियों को। अरी, कबीर की उलटबाँसियों को तो आज तक बड़े-बड़े साहित्यकार नहीं समझ पाए हैं, फिर तू ठहरी नारी। मैं ठहरा भोला-भाला नर, जरा व्याख्या कर। मैना बोली हे तोते, देख कल मथुरा शहर के होली गेट चौराहे पर दो साँड ऐसे लड़े कि हटने का नाम ही न लें। लोगों ने बहुत हटाया मगर नहीं हटे। परिणामतः ट्रैफिक जाम हो गया और कई घण्टे रुका रहा। दूसरे दिन स्थानीय समाचार पत्रों में मोटे-मोटे अक्षरों में खबर छपी कि होली गेट पर छः घण्टे ट्रैफिक जाम रहा, स्थानीय नेताओं का हाथ। आया समझ में तोते?

न मैना, मैं न समझा। अभी दूसरा कोई आसान सा वाकिया सुना। मैना बोली, हे तोते सुन। कल हमारे पड़ोस में एक पति-पत्नी में झगड़ा हो गया। झगड़ा इतना बढ़ा कि मार-पिटाई हो गई। आस-पास के लोग बीच-बचाव के लिए आ गए। झगड़ा शान्त हो गया मगर झगड़े की समीक्षा शुरू होने लगी। एक सज्जन बोले कि आज की राजनीति इतनी गन्दी हो गई कि बस पूछो मत। देख, पति-पत्नी को लड़वा दिया खामखा। तीसरा वाकिया और सुन तोते। कल एक मनुष्य बारात में इतना खा गया कि उल्टी करते-करते मरने से बचा। बस लोगों ने इसके लिए भी नेताओं को ही जिम्मेवार ठहराया। एक ठाकुर साहब का लड़का गाँव से शहर में पढ़ने गया। वहाँ कुसंग में पड़कर फिल्में देखने लगा। चरस-गाँजा पीने लगा। परिणामतः लगातार बार-बार दसवीं में फेल हुआ। बस इसके पिताजी ने सारा दोष राजनीति पर मढ़ दिया। आया समझ में तोते कि किस प्रकार लोग हर प्रकार की घटनाओं का सम्बन्ध बेचारे नेता से जोड़ देते हैं।

तोते हर आदमी को अपनी बुराई बुरी लगती है। उस बेचारे नेता का क्या दोष कि अगर वह दो या तीन लाख में बिक गया तो? क्या वह हमारा बाप या भाई या भतीजा नहीं है? क्या हमने उसको नहीं चुना था? क्या हमने उसको इसलिए नहीं चुना कि वह गलत ढंग से हमें लाभ पहुँचाएगा? हमें परमिट, कोटा, लाइसेंस और नौकरियाँ दिलाएगा? बताइए, अगर वह आपके इन कामों की खातिर बिकता है तो क्या गुनाह करता है? आपने भी तो उसे निज स्वार्थ में चुना था। आपने उस समय इसीलिए नहीं चुना था कि वह सामूहिक हित गाँव के लिए स्कूल, चिकित्सालय या खरंजे लगवाएगा। जब आपका ध्येय सामूहिक नहीं था तो उसका कैसे हो सकता है? और जितने भी क्रियान्वयन अधिकारी हैं, तो सभी हमारे भाई-भतीजे हैं। वे तो कम से कम सही काम करें तो तोते अन्त में मैं यही कहूँगी कि जब अपना सिक्का खोट, परखन हारे क्या दोष।

दुलहिन वही जो · जी दिलवाएँ

खाक दिलवाएँगे अरोड़ा जी, अभी तक अपनी गृहस्थी तो बसा नहीं पाए, जी हाँ हम प्रो. अरोड़ा जी की बात कर रहे हैं वही अरोड़ा, जिन्होंने गोहाटी से चौपाटी तक सागर से कंचन जंगा तक रेलवे लाइन के सहारे वाली दोनों तरफ की दीवारों पर अपना विज्ञापन 'रिश्ते ही रिश्ते' मिल तो लें एक बार प्रो. अरोड़ा, करोल बाग, नई दिल्ली ब्रांचेज इन कनाडा ऐण्ड अमरीका लिख मारा है। ऐसे देशव्यापी विज्ञापन प्रो. अरोड़ा के अलावा दो व्यक्तियों ने और लिखवाए हैं। एक हैं दूरदर्शी पार्टी के प्रणेता 'जय गुरुदेव' उनका यह सन्देश 'कलयुग जाएगा—सतयुग आएगा' आपको हर नगर, हर कस्बे और गाँव तक पढ़ने को मिल जाएगा। तीसरे व्यक्ति हैं, मास्टर कांशीराम। इनकी भी पार्टी का विज्ञापन नीली स्याही से पूरे देश में आपको मिल जाएगा। 'मण्डल आयोग की रिपोर्ट लागू करो' का देशव्यापी नारा बहुजन समाज पार्टी का ही दिया हुआ है। बाद में जनता दल वाले श्री वी.पी. सिंह ले उड़े और प्रधानमन्त्री तक बन गए। देखते रह गए कांशीराम। हालाँकि इस नारे ने कांशीराम की पार्टी को मुख्यमन्त्री की कुर्सी तक तो पहुँचा ही दिया 'एक वोट—एक नोट' का भी नारा इन्हीं का था जो बाद में जनता दल और भाजपा ने भी अपनाया। उद्योगपतियों से मिलने वाले चन्दे को ढँकने के लिए 'वोट हमारा राज तुम्हारा-- नहीं चलेगा नहीं चलेगा' यह नारा भी श्री कांशीराम का दिया हुआ है, तो विश्वव्यापी नारे लिखने वाले तीन व्यक्ति हुए। राजनीतिक—श्री कांशीराम, धार्मिक 'बाबा जयगुरुदेव' व सामाजिक प्रो. अरोड़ा। प्रोफेसर अरोड़ा मत समझ लेना कहीं। हालाँकि ज्यादातर लोग प्रोफेसर ही समझते हैं। इसीलिए सबसे ज्यादा ग्राहक इन्हीं के यहाँ आते हैं क्योंकि शिक्षा जगत् से जुड़े लोगों में हमारी जनता की कुछ ज्यादा ही आस्था है। ज्यादा ही विश्वास है, भले ही इस जाति ने देश को जातिवाद के खाने में बाँट के रख दिया हो लेकिन बता दें करोलबाग वाले प्रोफेसर अरोड़ा प्रोफेसर नहीं प्रोप्राइटर अरोड़ा हैं लेकिन इन्होंने कभी प्रोप्राइटर शब्द को पूरा नहीं लिखा क्योंकि लोगों में भ्रम बना रहे। प्रो. अरोड़ा को जब विश्वव्यापी ख्याति मिली और पैसा मिला, तो लोगों को यह रोजगार चोखा लगा क्योंकि न इसमें कोई पूँजी लगानी है न किसी तामझाम की जरूरत, बस एक कुर्सी मेज और एक रजिस्टर लेकर बैठ जाइए।

किसी बात का कोई झंझट नहीं, शादी तय होने के बाद भले ही प्रो. अरोड़ा की दुकान पर ही टूट जाए उन्हें क्या मतलब। दुबारा रजिस्ट्रेशन कराइए। पुनः फीस दीजिए।

इस धन्धे में मुनाफा जानकर कई हस्तियाँ इस क्षेत्र में उतरीं। उनमें एक अग्रणी नाम है—जनकपुरी वाले पाठक जी। पाठक जी ने प्रो. अरोड़ा की काट का विज्ञापन दिया है, 'केवल अच्छे रिश्तों के लिए मिलें'—पाठक जी। फिर दूसरे प्रोप्राइटर ने एक और विज्ञापन निकाला (उन दिनों चुनावों का जोर था) ''वोट किसी को दो लेकिन दुलहिन हमीं से लो।' इसके बाद तो मैरिज ब्यूरो बने, पत्र-पत्रिकाओं में विज्ञापन और अब तो इण्टरनैट पर भी विज्ञापन आने लगे हैं।

अगर आप कभी बोर बैठे हैं तो पत्र-पत्रिकाओं में प्रकाशित विज्ञापन आपका समय काट सकते हैं और यदि आपको नींद नहीं आ रही है तो वैवाहिक विज्ञापन का पन्ना खोल लीजिए। हर विज्ञापन को ध्यान से पढ़िए, सुनिए आपको एक नई बात मिलेगी, तरोताजापन मिलेगा। प्रस्तुत हैं कुछ विज्ञापनों के नमूने।

''23 वर्षीया 160 से.मी. 60 कि.ग्रा. स्लिम ट्रेंड ग्रेज्युएट नॅन मांगलिक, गौर वर्ण जुझौतिया ब्राह्मण कन्या हेतु वर पक्ष से पत्राचार आमन्त्रित उपजाति बन्धन नहीं।''

देखा आपने इस विज्ञापन में कन्या का वजन भी लिख दिया ताकि वर के साथ किसी होनी अनहोनी में लड़की वाले जिम्मेदार न रहें कि पहले बताया नहीं था। दूसरा वजन 60 कि.ग्रा. होते हुए भी कन्या स्लिम है, यानी कि इनके हिसाब से मोटापन तो 75 कि.ग्रा. के ऊपर ही आता होगा।

दूसरा विज्ञापन देखिए।

''49 वर्षीय 170 से.मी. 65 कि.ग्रा. विधुर 'पहली पत्नी से दो बच्चे' एम बी ए जैन युवक हेतु कन्या चाहिए। दहेज जाति प्रतिबन्ध नहीं।''

इस विज्ञापन में भी जैन साहब विधुर हैं। दो बच्चों के बाप भी हैं। इसीलिए अन्तरजातीय विवाह के लिए उत्सुक हैं क्योंकि अपनी जाति में मिली नहीं। अब घर तो बसाना ही है, कन्या किसी भी जाति की हो और लूली लँगड़ी कैसी भी हो।

अर्थात सौ में से एक विज्ञापन आपको मिलेगा अन्तरजातीय विवाह वाला। उसमें भी उच्च जाति की कन्या के लिए वर नहीं चाहिए होगा। उच्च जाति के विधुर व विकलांग युवक के लिए निम्नजाति की कन्या चलेगी। वर निम्न जाति का नहीं चलेगा। कितने प्रगतिशील हुए हैं हम इन पचास वर्षों में। आप इसका अन्दाजा किसी भी अखबार के वैवाहिक विज्ञापनों से आसानी से लगा सकते हैं।

निष्कर्षतः आपको बोर होने की कतई जरूरत नहीं है। यदि रात में नींद नहीं आ रही है तो किसी भी पत्रिका या अखबार का वैवाहिक विज्ञापन वाला स्तम्भ पढ़ना शुरू कर दीजिए। आप सारे विज्ञापन पढ़ के ही मानेंगे और हमें पता है कि मन ही मन आप अपना जोड़ा भी बनाएँगे, भले ही पहले से आप जुए में जुड़े हुए हों। ये विज्ञापन हमारी

प्रगतिशीलता की भी पोल खोलते हैं। जातिवाद की गहरी जड़ें ज्यादा पढ़े-लिखे लोगों में ज्यादा गहरी हैं। जातिवाद के बन्धन ढीले पाए जाते हैं, तो मात्र विकलांग जोड़ों के सन्दर्भ में अन्यथा नहीं, तो आप कब जा रहे हैं प्रो. अरोड़ा के पास। जल्दी कीजिए अन्यथा सेल में रिजेक्टेड पीस ही रह जाएँगे।

□□